圖說
元宇宙

METAVERSE

子彌實驗室
2140

著

利用"元宇宙"開發虛擬香港
從正確認識開始……

　　"元宇宙"概念始於 1992 年美國科幻小説《雪崩》(*Snow Crash*)。在小説中用戶只要戴上耳機和眼鏡，就可以投入為虛擬人 (Avatar) 在電腦中的三維虛擬世界中自由活動。這概念於 2003 年被美國網絡遊公司 Linden Lab 採用，開發了一套命名為 "第二生命" (*Second Life*) 的網上遊戲，風靡一時。而且開發者可以利用 Linden lab "元宇宙" 平台在 "第二生命" 的虛擬世界中創造自己的虛擬資產 (例如物業) 進行交易。"臉書"形容"元宇宙"為"一個實體化的互聯網"，一個集結"虛擬現實" (VR)、"增強現實" (AR)、人工智能 (AI)、"區塊鏈" (Blockchain)、"第五代通訊" (5G) 等技術而創建的三維度 "虛擬實境" 共享開發平台。

　　根據 staistica.com 的市場預測，"虛擬實境" 及 "增強實境" 技術於 2024 年的全球市值將會達至 3000 億美元。因此，在商言商，朱克伯格 (Zuckerberg，內地譯扎克伯格) 的投資策略深謀遠慮，是為鞏固其公司在 "元宇宙" 平台技術的實力，為創建 "臉書" 未來共享虛擬王國而鋪路。他清楚知道在發展一日千里的網絡科技及與日俱增的龐大科網市場之下，"臉書" 的商業模式不能墨守成規，不能只靠"食老本"，一成不變地只專注發展社交網絡，因而堅決轉戰"虛擬實境"社交網絡市場。朱克伯格野心勃勃，他想利用其公司在開拓社交網絡市場中之經驗，銳意以先行者戰略，將"臉書"打造成為世界"元宇宙"平台的領導者、"話事人"，主導"元宇宙"遊戲規則，控制全球"虛擬實境"社交網絡市場。

再者，朱克伯格於年前推出 Libra 加密貨幣計劃，並曾向美國政府多番爭取，欲把 Libra 推薦作美國數碼貨幣，可是計劃被華府拒諸於門外。"元宇宙"將會重燃朱克伯格的希望。在虛擬世界中用戶可以利用"元宇宙"開放平台，開發自己的虛擬商店，創業做生意，並且可以利用 Libra 貨幣作交易。因此，Meta 公司積極爭取"元宇宙"的主導權，這樣做便能制定虛擬世界的金融規則，配合其"虛擬實境"社交網絡產業。

理論上，在"元宇宙"中虛擬世界與現實世界是在"平行時空"出現的。在這情況下，現實世界的場境可以在虛擬世界出現，營商者可以利用虛擬世界促進實體商務，推動"網上網下"經濟互動。同樣地，虛擬世界文化與現實世界文化可以互相影響，而且影響越來越深。

"元宇宙"帶來無限創新機遇是毋庸置疑的，然而"針無兩頭利"，社會科學學家認為鑑於互聯網所產生的文化矛盾（例如"言論自由與監管"）、社會問題（例如假新聞、網絡歧視）等不良現象，"虛擬實境"社交網絡將會引發同樣問題，而且影響程度會有過之而無不及。未來世界究竟是現實世界將會維持主導影響虛擬世界發展，或是會反過來由虛擬世界主導呢？答案耐人尋味，但無論如何，各地政府絕對不能輕視這問題。

應當說，"元宇宙"真正引起廣泛關注，是較近的事，以學術界與業界的討論為主，但因為總在網絡、電視或報刊上看到，普通民眾也逐漸生出了解的興趣。不過，毋庸諱言，這樣一個新科技，其基本的概念、邏輯與思想，專業人士起初多半都是一知半解，普通大眾更是雲裡霧裡。因此，相關主題的介紹，尤其是以一種通俗、準確且有趣的方式，向哪怕是毫無背景知識的人說清"元宇宙"究竟為何物，探究其本質，介紹其與普通人日常生活或工作的關係，分析其在未來社會發展趨勢中的角色，顯得非常重要。《元宇宙：設計元宇宙》、《元宇宙：圖說元宇宙》兩書，由中科院院士參與撰作，文字簡明易懂，更輔以漫畫進行趣味解讀，正是這樣的科普讀物，真正做到讓零基礎的人輕鬆了解什麼是"元宇宙"。

兩書的出版正當其時，關注"元宇宙"這一新科技的朋友，或可以從書中獲得一些啟發，形成自己的理解，最終找到自己的答案。

香港中文大學工程學院副院長（外務）

香港資訊科技聯會榮譽會長

黃錦輝教授

2022 年 6 月 22 日

元宇宙 ——
後互聯網時代的新紀元

有些概念就和有些人一樣，一出現就會捲起巨浪。

有些人，不管你是喜歡他還是討厭他，都必須承認，他本身就有著天然的蠱惑人心的魅力。

有些概念也一樣，如"元宇宙"，這三個字天然帶著直擊人心之力，它與時代同頻形成共振，踩著技術的節奏，可以掀起時代的巨浪。

進入後互聯網時代後，時刻都在誕生新概念：Z 世代、二次元、人工智能、區域鏈、XR 技術（VR、AR、MR）、ICO、DeFi、NFT……但像"元宇宙"這樣一出現就直接"破圈"、爭議激烈的概念極其罕見。特別是在 Roblox 上市之後，"元宇宙"立即引發關注。

那麼，元宇宙到底是什麼？是 21 世紀的"出埃及記"，還是未來漫遊指南？

它是關於未來世界生活方式的綜合想象，至今為止沒有誰能完整定義它，互聯網巨頭都非常看好它，如扎克伯格將 Facebook 直接更名為 Meta，但是很多人認為扎克伯格的 Meta 仍然不是元宇宙該有的樣子。

一千個人眼中有一千個哈姆雷特，一千個體驗者眼中就有一千種不同的 Metaverse（元宇宙）。元宇宙是一種不確定的存在，卻符合很多人對未來的期許。每個人心中都有一個自己的元宇宙，側映著元宇宙多角度、多層次的面孔：

　　有的人希望在元宇宙中找到極致體驗，彌補現實的遺憾，
　　有的人則希望在元宇宙中躲避世俗的紛擾；
　　有的人希望在元宇宙中與偶像親密互動，
　　有的人則希望在元宇宙中組織社團，讓自己成為閃耀明星；
　　有的人希望在元宇宙中圓學霸之夢，進入世界名校學習，
　　有的人則希望在元宇宙中躺平，將遊戲和勞動融為一體；
　　有的人希望在元宇宙中找到新的商機，開創新的商業帝國，
　　有的人則希望在元宇宙中完成英雄夢，創造自己的第二人生；
　　有的人希望在元宇宙中收穫愛情，避免尷尬的相親約會，
　　有的人則希望在元宇宙中發行 Token，滿足去中心化的個人追求；
　　有的人希望在元宇宙中融合 DeFi、IPFS、NFT 等數字金融技術，
　　有的人則希望在元宇宙中設計屬於自己的新世界；
　　……

　　不同的人有不同的期許，元宇宙能容下不同人的不同夢想嗎？能容下世間所有截然不同的靈魂嗎？

對於如此多樣甚至截然相反的期許，元宇宙就像是量子力學中的波函數，它會在不同的人那裏坍縮成不同的樣子。元宇宙是每個人想象中的未來世界，原則上可以有無限個疊加態，每個人想要的獨特元宇宙，都是完整元宇宙的一部分。

　　每個人都可以把自己對元宇宙的期待疊加起來，就像世上本來沒有路，走的人多了，也便成了路。元宇宙也一樣，疊加的夢想多了，也就有了真正的元宇宙。

　　最終的元宇宙，它不是任何人的元宇宙，但又是符合所有人期許的元宇宙。

　　當然，元宇宙在它的互動博弈中，必然形成一些技術和文化特徵，如去中心化、虛實共生、數字身份、智能合約、非同質化通證、加密經濟……

　　隨著時間流逝和人類新技術的誕生，以後可能還會增加共性列表，畢竟，元宇宙充滿了各種可能性。

　　薛定諤的元宇宙，也就是無數疊加態的時空最終會坍縮成萊布尼茨式的"可能世界"，那麼什麼是"可能世界"？

　　在數學家萊布尼茨的理論裏，本來有無窮無盡的不一樣的世界，各個世界完美程度不同，但上帝選擇了其中最完美的可能世界，也就是我們的現實世界。

　　在諸多可能的元宇宙世界中，市場博弈結果會挑選出一個最好世界，最好世界的模樣最終很難弄清楚，也許只有當元宇宙形成的那一刻才能揭曉。萊布尼茨用邏輯論證了上帝創世會選擇一個最好的可能世界，那麼人類創造的這個"元宇宙"，最終會是一個最美好的世界嗎？

目錄 Contents

小王子的
傳說

世界是
"元"的

3

什麼是
元宇宙

- 51 -

4

元宇宙
與人類進化

- 73 -

5

硬件・軟件・意識

- 93 -

眨眼之間，連接眾人

6

元宇宙的"十一維"

- 119 -

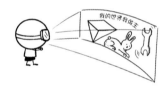

我的世界我做主

7

智能合約·
數學 NFT

-141-

8

世界模型：
從原子到比特

-165-

一個萬億
美元的機會

- 181 -

2140：
元宇宙的一天

- 197 -

11

忒休斯
之人

- 219 -

12

元宇宙的
盡頭

- 239 -

參考文獻

- 252 -

METAVERSE

4

× − +

小王子的傳説

很久以前，在一片人煙稀少的沙漠裏，我遇到了一個神秘的小王子，他給我講了怎麼來到地球的故事，我沒辦法分辨故事的真偽，因為他的故事很浪漫奇異但又符合邏輯，沒有任何破綻，就像一個高度仿真的遊戲一樣，他穿越宇宙時經過的每一個星球，其實都是一個獨特的元宇宙。

今天，讓我們沿著小王子的足跡，看他是怎樣走過這段旅程的吧。

宇宙漫遊起因

小王子原本住在一個叫作 B612 的小星球，他每天可以看很多次日出。小星球上有三座小火山，但他一般不會登上那三座小火山，因為小火山海拔

比較高，站在山頂一眼就看到了星球的盡頭。

　　在這個星球上，小王子最喜歡的是玫瑰花，但玫瑰花性格敏感而驕傲，這種性格讓她傷害了小王子。於是，帶著些許感傷，小王子告別了 B612 星球，登上飛船，開始了宇宙漫遊之旅。

無聊的國王

　　小王子離開了自己居住的星球，來到第二個星球，這也是他到達的第一個星球，它叫 325 星球。在這裏，他遇到了一個奇怪的國王。

　　這個國王看起來很孤獨，他喜歡讓所有人都聽他的命令，但他沒有一個臣民。

這個國王稱自己統治了這個星球上的一切，可這裏除了一隻年邁的老鼠外，什麼都沒有。國王喜歡命令別人，但管不了別人打哈欠。

小王子覺得這個國王和這個星球很無聊，於是他離開了。

自以為是的人

小王子離開 325 星球後，又到了 326 星球。在這裏，他遇到一個虛榮的人。

這個人很喜歡聽讚美之詞，他認為所有人都應該對他表示讚賞。

但他比 325 星球上的國王還可悲，因為這個星球只有他一個人。

別人只要為他鼓掌，他就會頻頻脫帽致意。

小王子覺得這真是個奇怪的人。

無法清醒的酒鬼

離開 326 星球後，小王子又到了 327 星球，這裏住著一個可笑的酒鬼。

這個酒鬼看起來渾渾噩噩的，卻與普通的酒鬼不一樣。

別人嗜酒只是愛喝酒，而他嗜酒是為了消除羞愧。

可他為什麼會羞愧呢？因為他每天都會喝醉酒。

於是，他為了忘記醉酒的羞愧而喝酒，喝酒後又會醉酒，這更加讓他覺得迷茫和傷心了。

這好像是一個永遠沒有辦法清醒過來的悲傷夢境，酒鬼不停地重複著喝酒 — 羞愧 — 再喝酒的狀態。小王子不知道該如何幫助他，只能離開這個星球。

滑稽的商人

　　小王子去了三個星球，遇到的人都很無聊。每個星球都這麼無趣嗎？他很困惑，於是他又遊蕩到了第四個星球。這個星球叫 328 星球，這裏住著一個滑稽的商人。

　　這個商人總是忙著做加法運算，他要統計宇宙裏的星球數量，以致他忙到沒空説話，甚至連抬頭的時間都沒有。

　　他以為數到五億顆星星，便能擁有五億份財富，這是一份"空頭支票"，寫滿了逐利的欲望與貪婪。

　　這個商人生命的全部，就是那些虛無的數字。

忙碌的點燈人

　　在進行了漫無邊際的飛行後，宇宙飛船又載著小王子到達了第五個星球，329 星球。在這個星球上，小王子遇到了一個點燈人。

　　小王子發現，這個點燈人總是在反覆點亮和熄滅路燈，每隔一分鐘就會重複一次。

　　因為日夜交替由他掌控，所以他格外忙碌和疲憊。

　　這個點燈人很認真地對待自己所做的事，不允許自己出現任何差錯，從這點看，他會是一個很好的朋友，但他只會周而複始地重複做一件事，他的天地太狹小了，容不下第二個人。

引路的地理學家

　　小王子很想見識一個與眾不同的星球,想看到有趣的事物,他來到了第六個星球,這個星球叫 330 星球,這裏住著一個地理學家。

　　這個地理學家知道哪裏有海洋,哪裏有城市,哪裏有群山,哪裏有沙漠。

　　他好像無所不知,但他對自己的星球卻一無所知。

　　他看起來充滿了知識和智慧,卻缺乏實踐的能力。

　　這個地理學家為小王子指了一條路,他說地球遐邇聞名,去那裏一定能找到好朋友。

抵達地球

在地理學家的指引下，小王子最終來到了地球。小王子看到這個藍色的星球很興奮，激動地控制飛船，降落在大沙漠中。

沙漠裏荒無人煙，放眼望去，是看不到盡頭的連綿沙丘。走了很久，他沒有遇到人，只遇到了一條蛇。

小王子和蛇對話，但蛇說話很像在說謎語。

小王子只好繼續向前走，他又遇到了三片花瓣的花兒，孤獨地長在沙漠裏。四周空無一物，沒有任何依靠，它顯得那樣孤單。

小王子向它打聽人類的蹤跡，但花兒什麼也不知道。

　　小王子發現這裏也有高山，但他發現爬上這裏的高山並不能看到整個地球。

　　這裏跟 B612 星球不一樣，在這裏，小王子只能與孤獨的自己對話。

　　幸運的是，在繼續向前時，小王子遇到了一隻小狐狸，並用耐心征服了牠，與牠成了親密的朋友。

　　小王子跟著小狐狸發現了一個玫瑰園，那裏有無數朵盛開的玫瑰。

　　原來玫瑰不是獨一無二的，但玫瑰説出了真愛的道理。

　　小王子終於明白，玫瑰與玫瑰也有不同，曾經那朵玫瑰才是他的唯一。

　　與小狐狸分別後，小王子遇到了一個賣止渴藥丸的商人。

　　吃了藥丸就不用再喝水，一個星期可以節省出 53 分鐘用來行走。

小王子不明白，雖然藥丸可以止渴，但為什麼不花費 53 分鐘慢慢走向一汪甘泉呢？那不是很幸福的事嗎？

　　小王子繼續前行，於是我們相遇了。

　　小王子讓我畫一隻小羊，但我畫了一條巨蟒，巨蟒肚子裏還有一頭大象。

　　很神奇，他好像看出來我畫了什麼，他說自己只需要一隻羊。

最後我畫了一個箱子，那隻羊就住在箱子裏。

因為我的飛機出了故障，我們剛好有時間認識並成為朋友，至少在前進的路上，我們都不會那麼孤獨。

在路上，小王子講起了自己奇特的經歷，從 B612 行星講到地球。

他終於有些口渴，我們一起在荒漠中找到了一口井。

後來，我修好了我的飛機，小王子剛好來到地球一週年。
是到了離別的時候了。

　　長途跋涉，小王子的軀體已經承受不住旅程的辛苦。小王子想起了那條蛇。那條蛇曾説被牠碰觸的人，就能立即回到家鄉，而且不會痛苦。

　　只要碰觸一下，就能見到 B612 星球的一切，包括那朵玫瑰花。

　　小王子決定向那條蛇求助。

　　蛇盤上小王子的腿。

　　小王子暈倒了，一點響聲都沒有。

我也回到了我的家鄉，我的同伴們很高興，因為我還活著。
但那時我很悲傷，因為我不確定小王子在哪裏。

我隱隱聽到背後有人說話："請給我畫一隻羊……"

我轉過頭去，不見人的蹤影。

回過頭時，耳邊又傳來他清澈熟悉的聲音：

"被那條蛇咬後，我重新回到了 B612 星球，我又登上了那
三座小火山，和我的那朵玫瑰花和解，這段旅程很精彩，在星際
中自由遨遊，探索一個個奇特世界，也許在不久的將來，我還會
再走一遍我的 '元宇宙'。"

小王子的世界原來叫"元宇
宙"。很明顯，他的世界與我們觀
察到的宇宙有點不一樣。那是獨
屬於小王子的天地，獨一無二。

這就是"元宇宙"嗎？
好像和我們想象的賽博朋克
（Cyberpunk，港台譯作賽博龐

克）、VR 武裝有些不同。小王子的世界，是一個童話世界的元宇宙；阿西莫夫的 "基地"（Foundation），是一個深邃銀河的元宇宙；斯皮爾伯格（Spielberg，又譯作史匹堡、史匹柏）的 "綠洲"（Oasis），是一個虛實融生的元宇宙……

大眾媒體描述的元宇宙，基本上千篇一律：它有點像遊戲《頭號玩家》（Ready Player One，港譯作《挑戰者 1 號》，台譯作《一級玩家》），戴上 VR 設備後進入一個虛擬世界，這個世界是開源的，可以自由創造，像無限開放的沙盒遊戲，同時擁有一套獨立經濟系統，其中數字資產是稀缺的，在這個世界裏，沒有一個絕對主宰者……

總體來說，大眾媒體描述的元宇宙有以下特點。

- 獨立於現實世界，又和現實世界相關的沉浸式數字世界；
- 有更高的自由度，每個人都是架構師；
- 有一個稀缺又能帶來實際價值的經濟系統；
- 去中心化的治理方式，沒有絕對的壟斷與權威；
- ……

以上這些特點，只是大眾媒體描述的元宇宙。

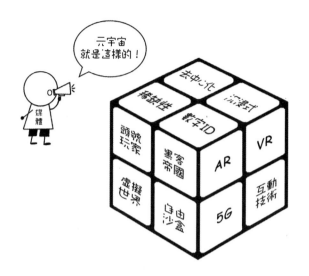

由於元宇宙本身的宏觀性、創造性、長期性、幻想性和未來性，使每個人心中，都有一個自己的"元宇宙"。

本質上，"元宇宙"這三個字想要給你講一個故事，一個即將發生的故事，一個虛構的偉大故事，但它自己什麼都不說，所有的情節都要靠你自己腦補。

每個人心中都有一個自己的元宇宙

尤瓦爾‧赫拉利（Yuval Noah Harari，又譯作哈拉瑞）在《人類簡史：從動物到上帝》（*Sapiens: A Brief History of Humankind*）中提到，人類之所以成為地球主宰，秘訣在於人類能創造並且相信某些"虛構的故事"。

元宇宙並沒有那麼容易實現，所以從現在開始，人類應該思考如何講好故事。那麼，什麼是人類講故事呢？

如果一隻大猩猩對另一隻大猩猩説，你把這根香蕉給我，死後就會進入天堂，那裏有吃不完的香蕉，大猩猩不會相信這樣的故事，只有人類才會有這種想象力，才會因此崇拜上帝或者真主。

"講故事"和"相信故事"的能力，是原始部落展開大規模協作的前提。人類靠"講故事"的能力，創造了國家、公司與貨幣。

如果有一個人拿著這樣一張綠顏色、上面印著人像的紙，告訴你這張紙價值十根香蕉，你相信他，我也相信他，大家都相信他，那麼這張紙就真的能買到十根香蕉。這些都不是客觀的存在，卻展示了人類講故事的能力。

元宇宙，就是在給人類講述一個故事。

一個匯集了自工業時代以來的所有美好與進步的故事。

而且，這個故事夠龐大，夠美好，夠貼近現實，是一種強大的"元敘事"（Metanarrative）。

2

× − +

世界是 "元" 的

人類創造了那麼多詞語，為什麼 "元宇宙" 這麼吸引人？

貼近自我的語言很多，為什麼 "元宇宙" 能夠擊中人心？

講故事的構架也很多，為什麼 "元宇宙" 這麼宏大？

這一切問題的答案，都是因為這三個字是一種 "元敘事"。

那麼，什麼是 "元敘事"？

元敘事是關於 "永恆真理" 和 "人類解救" 的故事，是一種對未來進程有始有終的構想。它的產生動機源於對人類發展前景所抱有的某種希望或恐懼，具有預言性、趨同性、目的性、終極性和統一性。

例如，愛因斯坦的 "大統一理論"，是物理學的 "元敘事"；

笛卡爾尋找萬能方法，是數學圈的 "元敘事"；

萊布尼茨開發 "普遍語言"，是語言學的 "元敘事"；

……

愛因斯坦的"元敘事"
大統一理論

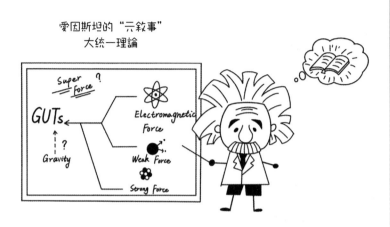

笛卡爾的"元敘事"
是用代數解決所有數學問題。

萊布尼茨的"元敘事"
是設計人類通用的符號語言。

您好 Hello hej
안녕하세요 Ciao
Bonjour Hallo
Привет Здравей
こんにちは สวัสดี
0110011101011001
DID IT

孔子的"元敘事"
是天下大同。

全球化的"元敘事"是
期盼將世界的壁壘推平。

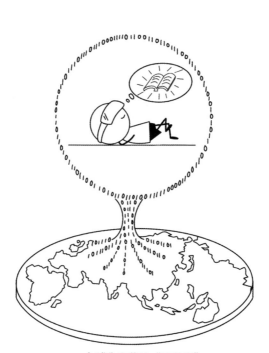

全球化是舊的"元敘事"，
元宇宙是嶄新的"元敘事"。

　　元宇宙和其他的“元敘事”概念具有相同邏輯，它追求的也是構建一個“美麗新世界”，具有“元敘事”的如下五大特徵。

- 預測未來世界
- 追尋終極目標
- 產業利益趨同
- 統一前進方向
- 構建多重世界

一個得到更多人認可的“元敘事”將是人類前行的基石，指引更多人向一個理想目標堅定前行。

全球化：
元宇宙的前一個元敘事

為了更好地理解元宇宙的元敘事，我們可以先來了解人類最近的一個元敘事：全球化。

乘坐漢莎航空公司公務艙的托馬斯·弗里德曼從美國出發，經由法蘭克福一直向東飛行，飛往印度。從座位扶手彈出來的屏幕上，通過 GPS 定位地圖，可以看到飛機前進的方向。回到美國之後，弗里德曼悄悄地在太太耳邊說：“親愛的，我發現這個世界是平的。”

這是美國經濟學家托馬斯·弗里德曼的著作《世界是平的》中的記錄，也是對“全球化”這個元敘事最準確的描述。

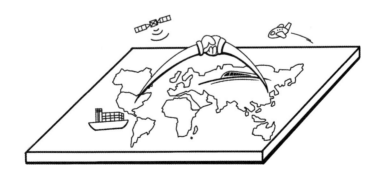

"全球化"的元敘事從誕生到發展到最高峰，共花費了近 50 年的時間。藉助工業時代的技術條件，"全球化"這個元敘事為人類提供了一種美好的想象，即在這個敘事的驅動下，可以逐個實現以下目標。

- 供應鏈全球化
- 財富全球化
- 軍事全球化
- 文化全球化
- 信息全球化（互聯網技術支持）

"全球化"這一敘事最終達到了部分目的：美國在很長一段時間內成為全球化秩序中金字塔尖般的存在，懶洋洋地收割著全世界更多的財富。

但與此同時，全球化從客觀上也幫助了很多國家，促進了整個世界的發展，中國就是全球化過程中的受益者之一，已經成為世界第二大經濟體，正向中等發達國家水平前進。

這就是元敘事的力量，講好一個虛構故事，提供一個美好願景，將原來殘酷的叢林法則改寫成美好的童話故事。

元宇宙是否具有元敘事的潛力

當 "元宇宙" 這個概念問世時，為什麼全世界都為之瘋狂？互聯網大廠對其趨之若鶩，小公司竭盡全力尋找入局機會，無數互聯網群眾紛紛翹首期盼。

元宇宙之所以這麼 "火"，主要有以下原因。

✦ 全球化已經淪為 "舊敘事"

作為曾經元敘事的 "絕對主力"，全球化幾經波折已成 "遲暮老人"。曾經期待地球是 "平" 的，如今種族主義和民粹主義興起，貿易壁壘再現，再加上新冠肺炎疫情肆虐，世界不可避免地再次進入一個相對封閉的狀態。

曾經嚮往的 "全球化" 的時代逐漸遠去，而 "反全球化" 思潮開始湧動。所以人們迫切需要一種全新的元敘事。

元宇宙既能夠促進人類物質上的再一次發展（各類新興科技產品誕生），也能滿足人類精神上的需求（虛擬世界的全球化），它成了全球化最好的替代品。

✦ 互聯網發展遭遇瓶頸

從 Web 1.0 到 Web 2.0，再到移動互聯網，作為 "全球化" 最強大的承載工具，互聯網在享受了幾十年的紅利後，也遭遇了瓶頸。

當前互聯網產業的平台形態已發展到了一定程度，出現了嚴重內捲，現在需要一個新突破來為其注入新的生機。用一句話來調侃，那就是"互聯網失去了夢想"。

元宇宙剛好能夠幫助互聯網打破桎梏，走出內捲。

無論是物理世界還是互聯網，基本上都服從泡利不相容原理（Pauli exclusion principle），而元宇宙有可能更類似量子理論，它可以實現人類多重人格的裂變，在多元宇宙或者平行世界自由穿梭。

✦ 技術聚合的質變

元宇宙的概念早在美國科幻小說《雪崩》中就被提及，但當時並沒有引起像現在這樣的熱議浪潮。

究其原因，很重要的一點是技術沒有跟上想象的步伐。二十多年過去，許多看似不可能實現的技術，目前正在逐步突破，具體如下。

- 5G 技術為元宇宙提供了通信基礎。
- 雲計算為元宇宙提供了算力基礎。
- 腦機接口、XR 技術為元宇宙提供真實的沉浸感。
- 人工智能為元宇宙提供內容生成邏輯。
- 數字孿生為元宇宙提供了世界藍圖。
- 區塊鏈為元宇宙提供認證／信任機制。

　　這些創新技術逐漸聚合，發生質變，讓曾經觸不可及的"元宇宙"有了實現的可能，最終構成了一個體系，組合成一個新世界。

　　《頭號玩家》、《失控玩家》（*Free Guy*，港譯作《爆機自由仁》，台譯作《脫稿玩家》）、《西部世界》（*Westworld*）等科幻作品，已經展現了這個世界的影子。

◆ 科幻時代的來臨

　　在元宇宙中，可以用科幻定義世界，只要能想到，技術就能做到。技術的爆炸式發展使得科幻與科技只有咫尺之遙。在新的世界中，真實世界和虛擬世界、物理世界和想象世界將會融合在一起。

　　"元宇宙"的概念本身就富有科幻色彩，它誕生於科幻小說《雪崩》，並時常在各類科幻作品中出現，成為一種獨特的科幻現象。《真名實姓》(*True Names*)、《黑客帝國》(*The Matrix*，港譯作《22 世紀殺人網絡》，台譯作《駭客任務》)、《神經漫遊者》(*Neuromancer*) 都有元宇宙的影子。

當科幻時代來臨，元宇宙自然備受青睞。

科幻是科技發展
創意的重要源泉。

✦ 互聯網世界的原住民必然的進化方向

互聯網的出現讓人們的生活方式發生了巨大改變，讓人們可以在物理世界和虛擬世界中穿梭。

如果人體從真實的費米子物質變成了玻色數據信息，那麼我們的移動速度就是光速，地球上的空間距離將不再是我們面對面交流的障礙。

通過數據仿真和設計，元宇宙繼承了互聯網時代的全球化，同時作為更高級的虛擬世界——可編輯開放、數字孿生、虛擬仿真、高沉浸度社交、創造性遊玩，它將是互聯網世界中原住民進化的方向。

於是，元宇宙在 2021 年出現，必然具有"元敘事"的潛力，但能否真正創造人類新文明，還值得期待和觀察。

元宇宙那一邊是否是世外桃源？你願意去體驗嗎？

世界是"元"的

在人類發展史中，我們是如何看待這個世界的？其實這個過程很曲折。

在 15 世紀前，多數人會認為地球是"平"的，這種"平"

是因為人類活動範圍的局限。在現代科學崛起之前，即便是畢達哥拉斯、亞里士多德這樣的智者，也沒有能力說服其他人。那時候人們心中的地球是"平"的。

15 世紀，大航海時代來臨，一些冒險家開始對未知的領域進行探索，1519—1521 年麥哲倫率領船隊首次環航地球，人們發現沿著一個方向出發，真的可以回到始發位置。原來地球是"圓"的。

這個時候的世界，並沒有被完全連接起來，直到世界經歷"二戰"後建立起了布雷頓森林體系（Bretton Woods System），國家之間的聯繫開始緊密起來。時間繼續向前，自由貿易興起，柏林牆倒塌，冷戰結束，然後是萬維網的出現，將世界連成一個整體。

托馬斯·弗里德曼對他太太說"世界是平的"之後，寫下了《世界是平的》這本書，引發高度關注。

於是，世界從"圓"的又一次變回了"平"的，這是因為世界連接得更緊密。

歷史的車輪再一次轉動，"元宇宙"帶給人類一種全新的想象，它幾乎聚合了最完整的科技產業鏈，儘管有很多爭議，但很難有人阻擋它的到來，因為它是未來世界的"最大公約數"。

世界從"平"的又變為世界是"元"的，這一過程說明技術是不可阻擋的，"元宇宙"這一概念的產生，有以下幾個動力。

第一大動力是不確定性。物理世界存在很多不確定性，如病毒的困擾、環境的惡化、人性的分裂，阻斷這一切的最好方法是進入元宇宙。

第二大動力是人工智能的發展。程序化的建模，使得互聯網能夠持續有效地創建和更新虛擬環境，使"即時建築"成為可能。

　　第三大動力是飛行設備的普及。飛行設備的普及為我們這種平面生物增加了一個維度，在任何一個位置，定位都會增加一個高度。

　　第四大動力是模擬現實。不同程度的真實模擬會創造不同的元宇宙，而現實不過是元宇宙的一個層次而已。

　　第五大動力是分佈式的算力部署，使得個體形成真正的網格結構，去中心化成為可能。

　　第六大動力是在納米科技等前沿技術驅動下的技術突破，使得設備微納化成為可能，未來各種設備可以融入服裝、植入皮膚，與身體進行無縫融合。

　　人類各個時期的進化，都是依靠各種推動力完成的。但進化的總體方向是不變的，世界變成"元"的，人類才有可能突破時間（生命長度）的桎梏、空間（地理寬度）的限制，進入一個真正無限的時空。

METAVERSE

3

× － ＋

什麼是元宇宙

現階段，元宇宙有以下兩個定義。

定義一：元宇宙（Metaverse）由 Meta（超越）和 Universe（宇宙）兩部分組成，可以理解為它是一個平行於現實世界的虛擬世界，現實中人們可以做到的事和做不到的事，都可以在元宇宙中實現。

定義二：元宇宙是通過技術手段在現實世界的基礎上搭建的承載虛擬活動的平台，用戶能進行社交、娛樂、創作、教育、交易等社會性、精神性活動。元宇宙能夠為用戶提供豐富的消費內容、公平的創作平台、可靠的經濟系統、沉浸式的交互體驗。

這兩個定義都有一些局限，元宇宙與現實世界應該是耦合的，而不是平行的，所以人們在現實世界中可以做到的事，未來都可以在元宇宙中實現。元宇宙不僅能提供精神性活動，也能提供物質性活動，它是一種比特混合原子的雜交模式。

什麼是元宇宙

元宇宙不是遊戲，
　除非你說人生是一場遊戲。

元宇宙不是虛擬空間，
　而是與現實深度結合。

元宇宙不是圖形化世界，
而是物理世界不可阻擋的去物質化進程。

它已經到來，
只是並不均勻。

元宇宙 ≠ 另一個空間

元宇宙不是另一個空間，
而是我們身邊的一切。

元宇宙 ≠ 天堂

元宇宙不是天堂，
而是一個去中心化的世界。

✦ 元宇宙是超越宇宙

在科幻小説《雪崩》之中，每個人都可以用虛擬化身進入一個三維虛擬空間，在那裏與其他人和系統人工智能進行交互。作者尼爾·斯蒂芬森（Neal Stephenson）給這個虛擬現實版本的下一代互聯網起了個名字，叫作元宇宙。

一方面，原則上，元宇宙可以在虛擬世界實現一切在現實中能實現的社會行為，包括社交、娛樂、上學、購物，甚至是購買虛擬房產等。另一方面，在元宇宙中，又可以感受現

實中做不到的事情，如身著火焰織成的長裙跳舞，或者穿上鋼鐵俠的戰甲在宇宙中飛翔……

在斯蒂芬森的描述中，元宇宙的用戶可以通過多種設備訪問元宇宙，如能夠模擬 360 度環繞全景的護目鏡、耳機和其他便攜式終端，給人們帶來視覺、聽覺甚至觸覺的全方位體驗。

隨著科技的發展，這些在當時很有趣的科幻情節，現在已經被 VR 頭盔等設備實現。帷幕再一次被拉開，互聯網的"下一代"——元宇宙將正式登場。

◆ 元宇宙是開源宇宙

不同於疊加在真實世界之上的 AR，元宇宙雖然也會有現實世界的元素，但它展現的現實副本或衍生物是可以被用戶定製的。

2003 年，美國的林登實驗室（Linden Lab）推出了一款遊戲──《第二人生》，在這款遊戲中，林登實驗室創造了一個虛擬的嶄新 "星球"，將山川河流、城市、居民及社會生活都呈現出來，用戶登錄遊戲後，會感覺自己是在一個神奇的 "未來世界" 中生活。

《第二人生》（*Second Life*）被看作是現實版的元宇宙的雛形。遊戲中玩家可以交流、玩耍、買賣，最關鍵的是，這個遊戲中的大部分場景都是原住居民自建的，而不是遊戲設計者創建的。林登實驗室提供了一個 3D 建模工具，任何玩家都可以利用它製造出建築、家具、交通工具等，這些東西可以自己使用，可以交換，也可以出售。

當 "元宇宙" 的概念在資本市場升溫後，美股中被稱為元宇宙第一股的 Roblox 異軍突起。Roblox 也提供了一套易上手的低門檻編輯工具，玩家可以使用這個工具設計自己遊戲中的物品。

"可定製" 提高了玩家的參與度，也意味著元宇宙不是一個被設計好的普通虛擬空間，而是一個開源的、等待被玩家創造的、充滿無限可能的嶄新宇宙。

當然，為了提升用戶體驗，即便是開源宇宙，也並非一切都由用戶來創造，官方一般會預設好背景環境。

在現實世界中，我們改造山川河流，形成城市和村落，是為了更好地生存和生活。同樣，我們進入元宇宙進行建設，也是為了在虛擬世界獲得更好的用戶體驗，甚至還可以聯動現實生活，進而影響到真實世界。

"Meta" 除了超越之外，本身還包含了一種未完成的意思。宇宙本身是可生成、可創造的，元宇宙也是如此。如果我們每個人都參與元宇宙的建設，就可以生成一個夢幻般精彩的虛擬世界。就像互聯網發展到今天依賴的是眾多的程序建設者和內容創造者一樣，如果元宇宙時代到來，那麼它也一定是開放的，是屬於每一個人的。

✦ 元宇宙是下一代計算平台

現代科技每經歷一次交互方式的改變，都會形成平台升級。

一般認為，個人計算機和早期互聯網就是最早的計算平台，它們是人類進入數字世界的鑰匙。

手機和移動互聯網緊隨其後，形成了第二波信息科技浪潮，打開了人類進入數字世界的大門。

　　VR 眼鏡、智能耳機等穿戴設備目前正處於發展時期，它們將取代手機這種單一信息平台，元宇宙將成為下一代計算平台。

人類，元宇宙歡迎您進入數字虛擬世界！

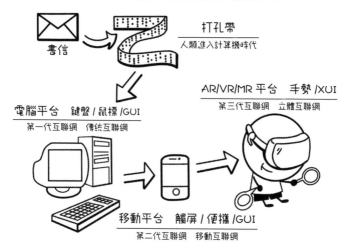

互聯網巨頭
眼裏的元宇宙

✦ 扎克伯格：元宇宙是更自然地參與互聯網

　　今天的移動互聯網已經可以滿足人們從起床到睡覺期間的各種需求了，所以元宇宙並非是讓人們更多地參與互聯網，而是讓人更自然地參與互聯網。

這個進化的核心動力，就是體驗。元宇宙並不是遊戲，而是移動互聯網的繼承者。每個人都可以使用不同設備，以不同的保真度水平去訪問元宇宙。

元宇宙將是一個永續的、實時的、無準入限制的多終端環境。在元宇宙裏，你不是只觀看內容，而是整個人都可以沉浸在其中。

2014 年，Facebook 以 20 億美元收購 Oculus。2020 年年底，徹底無線化的 Oculus Quest 成為 VR 設備銷量冠軍，並很快達到了年出貨量千萬台的奇點。Facebook 也開放了 VR 社交平台 "Horizon Worlds"。2021 年，扎克伯格在採訪中説，Facebook 預計在五年內從社交公司轉變為元宇宙公司。

✦ 蒂姆·斯維尼：元宇宙是一個開放世界

蒂姆·斯維尼（Tim Sweeney）是著名遊戲公司 Epic Games 的 CEO（首席執行官），也是反對蘋果公司霸權的代表人物，曾經對蘋果公司發起反壟斷訴訟，導致公司的 3D 引擎被蘋果商店下架。他堅定認為元宇宙也必須打破技術霸權，方能經久不衰。可以想象一下，假如有好

幾個不同版本的元宇宙，每個版本都有自己的規則，並且按照平台鎖定了我們自己的社交聯繫——我們在互聯網世界或多或少有過類似經歷，但是這種自我的割裂，在元宇宙時代是絕對行不通的。

蒂姆·斯維尼希望在數年後，《我的世界》（*Minecraft*）、《堡壘之夜》（*Fortnite*）等遊戲可以在同一個終端使用，或者在同一個"世界"中彼此可以聯繫起來。

✦ 大衛·巴斯祖奇：元宇宙是將所有人關聯起來的 3D 虛擬世界

Roblox 的 CEO 巴斯祖奇（David Baszucki）認為元宇宙是一個可以將所有人關聯起來的 3D 虛擬世界，人們在元宇宙中擁有自己的數字身份，可以在這個世界裏盡情互動，並創造任何他們想要的東西。

✦ 沙恩·普里：元宇宙不是一個空間，是一個"時間"

英國社交網站 Bebo（被亞馬遜旗下子公司 Twitch 收購）的

CEO 沙恩·普里（Shaan Puri）認為，大部分人都認為元宇宙是一個虛擬空間，但所有人的看法都錯了，元宇宙不是一個空間，它是一個"時間"。

人工智能領域有一個概念"奇點"，指的是未來人工智能比人類更聰明的那個時刻。元宇宙也有這樣一個時刻，一個讓我們的數字生活變得比物理生活更有價值的時刻。

在 1995 年，比爾·蓋茨（Bill Gates）在某個電視訪談節目中，向主持人解釋什麼是互聯網的情景現在看起來有點滑稽可笑，但轉念想來，現在向大眾解釋元宇宙的概念和當初何其類似？

展望未來，未來已來，元宇宙在我們未覺察時已經悄然而至。

①大衛·萊特曼："互聯網是什麼？"

②比爾·蓋茨："它會變成一個人們在上面發佈信息的地方，每個人可以擁有一個主頁，各種公司組織也在上面，還有一些最新消息，各種信息都會在上面野蠻生長。你可以給別人發電子郵件，它是一個全新的東西。"

③大衛・萊特曼（David Letterman）："你要知道，批判一個你完全不懂的東西總是容易的。幾個月前，我聽說互聯網技術有了重大突破，說是在互聯網或計算機協議中他們將會播出一場棒球比賽，你可以在電腦上聽這場比賽。然後我心想，這不就是收音機嗎？"

⑤大衛・萊特曼："那請問跟錄音機有什麼區別呢？"

④比爾・蓋茨："還是有區別的。在互聯網上，你想什麼時候聽棒球比賽都可以，它是被存儲起來的。"

⑥大衛・萊特曼："我只是不知道，你怎麼讓我理解你講的東西？我差在哪裏？我還需要了解什麼？"

⑦比爾・蓋茨："如果你想要了解新款雪茄或者汽車比賽，或者統計資料什麼的……你能在網上找到其他跟你有相同特殊愛好的人。"

⑧大衛・萊特曼："你是說，互聯網上有苦惱孤獨者的聊天室嗎？"

⑨比爾・蓋茨："絕對有。"

元宇宙的前世今生

1979 年出版的科幻小說《真名實姓》中，開篇有以下設定。

在很久很久以前的魔法時代，任何一位謹慎的巫師都會把自己的真名實姓看作最大的秘密，因為它是對自己生命最大的威脅。一旦巫師的對頭掌握了他的真名實姓，隨便用哪種普通魔法都能殺死他，無論這位巫師魔力有多麼高強，而他的對頭有多麼虛弱和笨拙。

今天，時代的車輪好像轉了一整圈，我們的觀念又轉回了《真名實姓》中的魔法時代，我們又重新擔心起自己的真名實姓來，往往在互聯網中越"神通廣大"的人，越害怕別人知道自己在現實世界的身份。

作者弗諾‧文奇在書中說到的“虛擬世界”，其實就是最清晰的“元宇宙”。

我們可以理解為，我們的肉身是自己唯一的弱點，而在“元宇宙”中我們可以擁有一切。

與現實分離的沉浸式體驗，一直都只存在於我們的想象中。

赫胥黎在《美麗新世界》中，描繪了一幅完全基於感官刺激的沉浸式媒體圖景。被稱為“感覺”的電影提供感官刺激，以達到使感官與現實完全分離的程度。這種媒體圖景可以讓受眾身臨其境，感受到親吻、觸摸等所有感覺。

《指環王》（*The Lord of the Rings*）的作者托爾金，創作的是一種“精靈戲劇”，這種精靈戲劇可以讓人進入他人編織的夢，進入第二世界，獲得第二信仰。

1975年，斯蒂芬‧金出版的小說《割草者》（*The Lawnmower Man*），是第一部建立在“虛擬空間”上的小說，其中可以進行“思維控制物質”的訓練。

1984年，威廉‧吉布森的小說《神經漫遊者》中提出了一個概念——“賽博空間”。賽博空間模擬人們進入電腦創意空間後的神奇感覺，開創了一種科幻門類——賽博朋克。那是一個屬於未來的、不斷變化的、極度個性的虛擬世界。

但元宇宙和這種虛擬現實又有什麼不同呢？在虛擬的遊戲中，元素很豐富，但用戶只能在預先設計好的元素裏進行選擇；而在元宇宙中，人人都可以參與到遊戲設計中，人人都可以成為遊戲設計師。

1992年，第一次提及元宇宙的科幻小說《雪崩》講述了一位名叫 Hiro 的普通披薩送貨員，白天送貨，晚上化身為虛擬世界"元宇宙"中的超級英雄，這是一個計算機生成的宇宙，計算機將畫面繪製在他的護目鏡上，元宇宙幾乎佔用了 Hiro 所有的時間。

也有作品指出，長期沉浸在 VR 中也可能是無益的，它使人們遠離社會而轉向一個為他們做出決定的人工社會世界。這種觀點引發了人們如何參與虛擬體驗的思考。

1995 年的電影《21 世紀最後一天》(*Stranger Days*) 進一步描述了這種體驗，影片中的角色萊尼向一位潛在客戶兜售一種稱為"連線"的神奇技術，當用戶戴上這種設備時，設備的傳感器會和大腦感知中心接觸。記錄模式下，連線捕捉佩戴者的感官；回放模式下，連線將存放在其中的感知傳遞給佩戴者。如果媒體的最終目的是將感官體驗從一個人轉移給另一個人，那麼"連線"可能會讓所有的媒體過時。《21 世紀最後一天》捕捉了新數字媒體在當下的矛盾和被關注的焦點，將我們的文化投射到數年之後，以便清晰地審視當前。"連線"只是對虛擬現實的一種幻想外推，其目標不過是無中介的視覺體驗，直接從一種意識傳遞到另一種意識。

隨著互聯網的發展和沉浸式虛擬體驗在大眾文化中傳播，以"賽博空間"為代表的概念也發生了變化，文藝作品開始喜歡將"賽博空間"描述為高科技下的頹廢世界，而"元宇宙"這個極具魅力且偏中性描述的詞語將成為下一代沉浸式互聯網的代名詞。

根據當下技術發展的趨勢，信息雲無處不在，可以預測未來

10 年內，也許人們會戴上一種輕便的、可以記錄一切的眼鏡，隨意進出一個虛擬世界，享受元宇宙帶來的各種服務。

對於那時的人們而言，這種虛擬與現實交織的感受也許如空氣一般自然。這就像 20 世紀的城市供電和 21 世紀的互聯網，它們由不可能變成了可能，並且它們的存在成了一種正常現象，不存在反而讓人覺得難以忍受。

對於人類而言，空氣的存在是"天經地義"的。

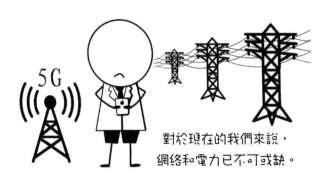

對於現在的我們來說，網絡和電力已不可或缺。

對於未來的我們來說，
元宇宙也是"天經地義"的必需品嗎？

企業元宇宙

　　企業元宇宙這個詞最早出現在微軟 CEO 薩提亞·納德拉（Satya Nadella）的一次演講中，用來描述數字孿生、物聯網等一系列元宇宙類產品線（如 Azure）的未來願景。

　　眾多科技領軍人物相信，隨著數字世界和物理世界的融合，企業元宇宙必定成為一種新的基礎設施。

　　利用數字孿生技術，企業元宇宙將可以對任何場所和資產進行建模，結合物聯網技術，可以確保數字孿生技術保持實時更新。

全球領先的釀酒製造商百威英博（AB InBev），已經使用微軟公司的企業元宇宙解決方案，來優化從農場到倉庫再到分銷的整個運營體系。

金融領域的 ABN AMRO（荷蘭最大的銀行，經營範圍遍佈世界）、醫藥領域的 AmeriSource Bergen（美源伯根公司，美國最大的醫藥貿易商）、廣告領域的 WPP（全球最大的廣告傳播集團之一），都在使用微軟的 Azure Synapse。

致力於提供智慧能源和供水解決方案的美國埃創集團（Itron），利用微軟公司的 Azure 數字孿生平台模擬了洛杉磯中心區域，使用微軟公司自研的混合現實頭盔 Holo Lens 可以進入這個模擬區域。面對不可見的管網和線纜，這種全沉浸式可視化的互動模式，或許可以掀起一場行業內作業模式的革命。

城市元宇宙

聯合國人類住區規則署曾在 2006 年用城市元宇宙來形容人口超過 2000 萬的大城市，在 2011 年用城市元宇宙來描述生態和城市的框架。顯然，我們所說的城市元宇宙是一個當下城市的數字孿生。

在無數的科幻電影中，我們可以感受到城市元宇宙的魅力。但要理解真正的城市元宇宙，只通過電影是不夠的。

當下，消費者能接觸的最真實、最廣泛的模擬現實的虛擬空間，是微軟發行的《微軟飛行模擬》（*Microsoft Flight Simulator*）遊戲。遊戲場景細緻入微，為了能對每一個模型進行選定且實現逼真的效果，微軟對真實場景進行了高質量的掃描，數據總量高達 250 萬 GB，包含 2 萬億棵單獨渲染的樹木、15 億座建築物，以及全球範圍內所有重要的道路、山脈、城市和機場。

最關鍵的是，《微軟飛行模擬》遊戲是一項實時服務，可以實時更新當前真實世界的天氣狀況，包含準確的風向、溫度、濕度、光線等，甚至還包含空中交通情況。在遊戲裏你可以飛入現實世界正在肆虐的颶風中，還可以架駛飛機跟隨你現實中正在出差的女友乘坐的那架客機。

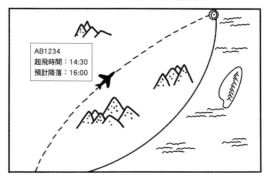

現實中出差女友的航班

AB1234
起飛時間：14:30
預計降落：16:00

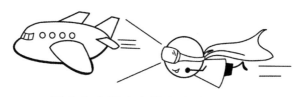

元宇宙中關注出差女友的航班

　　每個用戶進入飛行模擬時，微軟會為玩家按需在雲端進行渲染，生成實時的數據流，與本地存儲的數據結合，這比常規的互聯網應用要求高得多，大多數精細的遊戲都無法完成這種任務。

　　我們可以將城市元宇宙的未來願景分為以下四個層次。

　　第一層次，模擬城市的真實環境，建立孿生的數字城市。

　　第二層次，將真實城市中的數據實時同步更新到孿生的數字城市之中。

　　第三層次，孿生的數字城市中的各項操作，會無差別地由自動機器在真實城市中執行。

最後，我們還會根據不同的需求，創建不同保真程度的城市，通過不同的終端方式進行訪問。

因此，城市元宇宙也必須是開源的，而且其中會產生新的社交空間、不同的集體代理、甚至是某種智慧或者生命的新形式。所謂開源，開始是針對軟件的共享源代碼的開放合作方式，後來引入開源硬件、開源數字內容、開源媒體、開源建築等概念。

假如開源城市管理者所維護的發佈版本，任何公司、團體或個人均可以進行複刻，那麼將會發展出很多城市元宇宙分支。在統一開源平台的基礎上，建築形式可以改變，風格也可以調整，甚至可以發展出物理規則完全不同的子世界。

在城市元宇宙中，除了需要接入公共攝像頭、物聯網傳感器、衛星、遠程遙感、管網信息等基礎設施外，每個人的手機和其他穿戴電子設備，在被允許的情況下，都可以通過一個開放的接口，實時更新自己在城市元宇宙中的位置、身體狀況和所看到的城市實景。

在這樣的開源城市中，城市元宇宙不僅包括物理城市的建築設施，還包含了每個城市參與者的思想和情感，每個人都將擁有一個屬於自己的城市。

METAVERSE

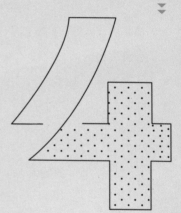

× − ＋

元宇宙與
人類進化

一般認為人類進化始於森林古猿，歷經猿人類、原始人類、智人類和現代人類四個進化階段。

　　那麼現代人類之後呢？ 假設我們將人類劃分為原始人、社會人、半數人、數字人，那麼"元宇宙"正是數字人的活動空間，它帶來的是文明的躍遷。

原始人

以原始的狩獵和採集維持生活的人。當下，在亞馬遜熱帶雨林、非洲腹地等地，仍然可以見到原始部落。

社會人

指進入文明世界的人，具有自然和社會雙重屬性的完整意義上的人，適應社會，並逐漸認識自我。他們不再信任叢林法則，而是相信契約精神。

半數人

指穿梭於現實世界與模擬世界之間的人。在信息熵與現代數學理論建立起來的信息時代，半數人一半處於傳統的物理世界，一半處於虛擬的信息世界。

數字人

存在於虛擬世界，從實體過渡到虛擬，從有界過渡到無限，從肉體過渡到意識，數字人的產生是一個全面的數字化改造過程。

　　在"元宇宙"的世界裏，數字人將是一個全新的物種，個體的形態是虛擬的。

文明躍遷
概述

　　與文明進化不同，文明躍遷是一種整體質變。

　　文明躍遷會動搖社會基礎，顛覆大眾認知，人們的生活習慣會發生劇變。它並非僅僅是階級轉變，而是會帶來全新的社會分層；它並非僅僅是技術進步，而是生產力、生產關係和生產資料的整體調整。

在真核細胞誕生前，地球上的原核生物已經經歷了 20 億年的進化，形成了放線菌、衣原體、支原體等種類豐富的真細菌。如果沒有那場兩個原核生物合併重組的大戲，哪怕再過 15 億年，原核生物的進化也不會發生根本變化。真核細胞的出現，是 5 億年前寒武紀生命大爆發與三疊紀爬行動物大爆發的先決條件。

地球大事件
示意圖

宇宙覺醒

⋯ 人機文明
⋯ 超級智能

智能 / 元宇宙
大爆發

⋯ 腦機接口

⋯ 元宇宙

⋯ 智能文明
⋯ 工業文明
⋯ 農業文明
⋯ 採集文明

麥克格雷迪大爆發

⋯ 哺乳動物
⋯ 恐龍
⋯ 寒武紀大爆發

真核生物大爆發

地球誕生 — 生命誕生 — 時間 →

（注：本圖僅作示意，無精確比例關係）

地球上的生命經過幾十億年的進化，由真核細胞逐漸演變出了各種生物。

一次偶然的合併，奏響了地球生命演化的華麗樂章

在基因藍圖的指導下，細胞的合作分工演化出了億萬生靈

而麥克格雷迪大爆發並不是簡單的細胞堆疊或物理結構的重構，爆發點來自文化，生物不斷進化，人類文明開始崛起，人類獨有的文化造就了我們人類的與眾不同，人類的進化是有目的的勞動、思考、交流、合作。如果沒有這些與眾不同的物質，怎可能發生讓人類社會飛速發展的幾次工業革命？

一場文化的洗禮，吹響了人類文明崛起的嘹亮號角

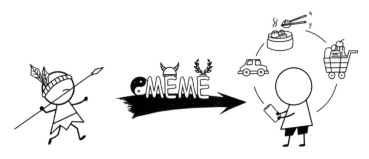

在文化模因的推動下，人類通過文化進化實現了對地球的主宰

這幾次工業革命，特別是數字化革命的發生，在不久的將來會造就一個幾近完美的數字虛擬世界——元宇宙。

假設利用數字化手段、腦神經科技和外部設備進行自我增強的過程，我們稱為人類增強 1.0，在這個階段，人類完成了虛擬和現實的融合，社會運轉也呈現出高度的數字化。依託設備呈現內容，在一定程度上，人類可以在早期元宇宙與現實社會之間穿梭。這個階段的人類，我們稱為半數人。

一系列的科技革命，正在打造引領地球文明騰飛的引擎

人類將進入一個全新的世界，元宇宙只是開始

在人類進化成半數人這樣一個新的時代，元宇宙功能將逐漸完善，人類可以長時間停留在元宇宙中，元宇宙可以滿足日常生活的一切需求。

換句話說，如果我們的"皮囊"允許思想進入元宇宙，我們就能夠做到意識上傳，只要元宇宙在，就可以鑄造"不死"之身。人類可以選擇成為數字世界的精神體。這是人類增強的 2.0 版本。

從生物到文化，再從文化到數字化，這些以純數字形態存在的人類，我們就稱之為數字人。

真核生物
大爆炸

在你對荷塘那幾片初生荷葉不以為然時，它們會在某一天內以指數級的速度鋪滿荷塘。這種突然呈現的"爆發"被經濟學家稱為"荷塘效應"。

生命的發展史也出現過類似的“爆發”，人類的文明的突飛猛進也類似這種爆發。

在地球生命誕生後的 20 億年裏，地球只進化出了細菌和古細菌這一類的原核生物，這些最簡單的微生物佔據著舞台的中心。15 億年前，一件神奇的事情發生了，原核生物 A 進入了另一個原核生物 B 的體內，A 不但沒有死，還與 B 形成了共生關係，這個過程創造出第一個真核細胞，融為一體的 AB 生存下來，創造了一種新的生命。

真核細胞誕生後繼續尋找合作夥伴。當它包裹了藍藻後，葉綠體誕生了，動植物兩大進化引擎均已啟動，咆哮著推動生命之舟邁向輝煌。

這場真核生物大爆發，到今天依舊沒有結束。地球生命的進化是真實世界最為恢弘的史詩，每個物種都是這篇史詩的標點符號。

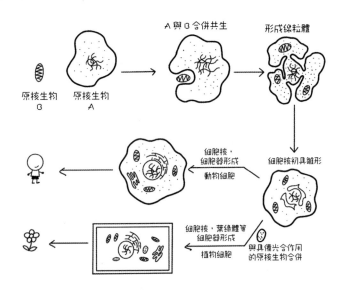

麥克格雷迪大爆發

　　基因的變異億萬年裏一直在發生著。但在一萬年前的麥克格雷迪大爆發中，人類從芸芸眾生中普通的一員變成了地球的主宰。

　　一萬年前的這次爆發，誕生了第二條"信息高速公路"，即"文化"。

人和黑猩猩都屬於人科，
一種叫"文化"的東西
讓人類進入了發展的高速路。

基因公路
人、黑猩猩

文化高速
人類文明

麥克格雷迪
大爆發景區

　　這一場因為"文化"而產生的進化爆發在生命史上意義深遠。從地球生物體系的角度，這場爆發可不是什麼好事，人類所到之處大量物種滅絕，從史前的美洲劍齒虎到近代的渡渡鳥，無一倖免。

智能 / 元宇宙
大爆發

　　1965 年，英國數學家古德提出了"智能爆炸"理論。他認為超智能體是智能爆炸後產生的一種超過人類任何智識活動的機器。機器設計也是超智能體的智識活動之一，所以超智能體很有可能設計出更優秀的機器。在正反饋的激勵下，很快就會出現智能爆炸，人類的智能會被遠遠甩在後面。

　　"智能爆炸"概念在人工智能領域內已佔據了主導地位。隨著計算機技術的突飛猛進，未來出現超智能體的論調也將會迅速崛起。

　　例比，2016 年，谷歌的人工智能軟件 AlphaGo 戰勝人類圍棋冠軍李世石，隨後來自谷歌的 AlphaGo 系列機器人橫掃全球所有圍棋冠軍，讓公眾認識到超智能形態的遞歸式自我改善引起的智能爆炸有多驚人。

　　人類的進化和人類文明的發展，可以為人工智能的發展提供參考。現代人只用了一萬年的時間，就從一種普通的生命成長為統治整個地球的生命。這一萬年裏人類也只不過進行了 500 代遺傳，從地理變遷和文明發展的視角來看，這是非常短的過程，那麼，在不久的將來，人類是否會從物理世界的社會人進化成虛擬世界的數字人呢？

從地球歷史來看，人類的進化快到不可思議

　　經過人工的訓練，猩猩已經可以掌握幾千個單詞，從生物進化的過程中來看，這顯然是一個難以置信的成就。愛因斯坦 —— 現代最聰明的人之一，在物理學中獲得了令人驚異的成就，但如果從生物學的角度看，愛因斯坦和猩猩的基因非常相似。

為什麼人夢想星辰大海，猩猩更喜歡香蕉？

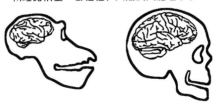

物理結構上，黑猩猩和人類的大腦差不多

　　人類和大猩猩最大區別在於，物理學家的腦子稍微大了一點。在漫長的進化中，人類的爆發顯得如此絢爛，從一種蜷縮在東非差點滅絕的物種，發展為當下地球的主宰，甚至將目光瞄向了浩瀚星河。

　　人的爆發和智能爆炸可以類比嗎？也許可以。

　　從底層邏輯上講，無論是人的爆發還是智能爆炸並沒有本質區別，兩者都屬於一種正反饋激勵的反覆疊加，在量變中產生質變，在到達"奇點"的瞬間爆發出巨大能量，完成文明的躍遷。

　　在臨界點到達之前，一切都是風平浪靜。一旦臨界點出現，便會瞬間爆發，影響整個世界。

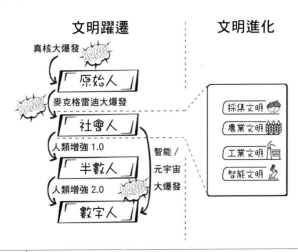

人類增強

　　2021 年 5 月，一份《"人類增強"，新範式的曙光》的報告中提到，人類有了自我改善的新範式：人類會在人機結合、肉體數碼結合等人類增強的道路上走下去。

　　人類可以屏住呼吸潛水到 113 米，最快的瞬時奔跑速度是 44.722 千米 / 小時，可以長途奔襲數十千米⋯⋯

　　人類增強是我們一直渴望的事情。自古以來，咖啡因、酒精、尼古丁、麻醉劑等情緒改善劑就一直為人所用，但通過技術改善人類，或以其他方式改變和重塑人類大腦的方法卻很少被注意。這種對大腦的重塑也是思考、學習和閱讀的意義所在，這些過程實際上都是在重寫大腦機制。人類學習的過程，其實也是改變大腦的微型結構的過程。

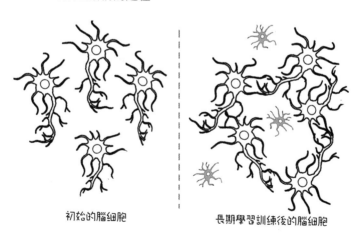

初始的腦細胞　　　　長期學習訓練後的腦細胞

學習思考可以改變大腦微結構

未來的人類增強技術，大概可以從不同層面做出以下劃分。

"增強人類"與人的區別，可以分為四個階段，每個階段所使用的外部裝備不同。

- 第一階段：手持設備。
- 第二階段：可穿戴眼鏡、耳機，甚至類似俄羅斯研發的超級盔甲套裝 Ratnik 3。
- 第三階段：義肢、義體和人腦協處理器。
- 第四階段：人腦協處理器。

從控制權限看，外部手段、讀書與學習、光遺傳學和磁遺傳學等對神經元進行調節（可建立協助處理器），以及未來可直接編程的方式，對神經元的控制權限是不同的。控制極限可分為四層，每個層次的控制方法不同。

- 第一層：外部手段，如激進的冰錐療法。
- 第二層：通過讀書、學習，在某種程度上調整神經元連接方式。
- 第三層：通過光或者磁影響神經元強度，建立大腦的協處理器。
- 第四層：可通過編程對神經網絡的初始突觸進行複製和設定。

從醫療方法看，"人類增強"分為以下三個階段，每一個階段的生存能力都不同。

- 第一階段：外骨骼等普通增強型外設。
- 第二階段：新型人造血液細胞或穩定血紅蛋白攜氧載體急救技術。
- 第三階段：遠程手術或機器人自動手術。

"人類增強"不斷擴展人類的 "身體" 邊界

　　也許，人類增強會構建一條遞歸改善的高速公路（人機協同與原核細胞 A 和原核細胞 B 構建真核細胞一樣，也是一種數億年的 "研發" 成果轉化形成的爆發），並由此構建人機協同的自我完善之路。

 原子數字化

　　今天，我們進入一種與現實平行的元宇宙，那些遞歸改善、智能爆炸、個體增強、虛實結合、意識保存都有可能成為物理人向數字人的過渡。

毫無疑問，從物理世界走向數字世界，這對人類來說是史無前例的改變和進步，這不僅涉及技術上的變革，還包括倫理和哲學的探討。

從社會人到半數人，只是工具和技術的變化，不涉及哲學和倫理；但半數人到數字人是一種全新的蛻變，甚至可以說這是一個"類死亡"的過程。在蛻變過程中，人類將面對兩個問題：

- 如果抹去你所有的記憶，給你一次重生的機會，你願意嗎？
- 如果消滅你的肉體，但保留你所有的人生記憶，你願意嗎？

你會如何抉擇？如果第一個選擇代表著死亡，那第二個選擇是不是同樣代表著死亡呢？

在某種程度上，死亡與進化只有一線之隔，好在這是一種主動進化，人類可以自行選擇。

隨著元宇宙的發展，我們可以將數字人分為兩種，一種是模擬信號數字人，也就是利用腦機接口接入外掛物理數據；另一種是全真意識數字人，也就是可以認識自我、反思自我的電子數據。從半數人到數字人的進化過程中，我們可以有計劃地分步驟完成。

- Metaverse 1.0：初級數字人時代，現實世界的虛擬資產進入元宇宙。

- Metaverse 2.0：初級數字人時代，現實世界的實物資產開始進入元宇宙。

- Metaverse 3.0：中級數字人時代，基本完成社會生存複刻，加密經濟開始主導世界。

- Metaverse 4.0：中級數字人時代，虛擬和現實已經融為一體，人類社會結構發生劇變。

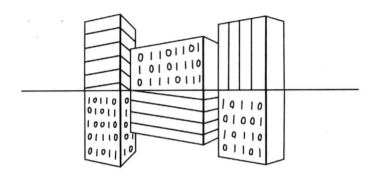

- Metaverse 5.0：中級數字人時代，神經元網絡初步建成，量子意識與比特代碼無縫銜接。

- Metaverse 6.0：高級數字人時代，神經元網絡技術取得重大突破，量子意識逐步遷移到比特網絡。

- Metaverse 7.0：高級數字人時代，擺脫自然進化論的限制，人類進入數字人時代。

　　如果將互聯網的出現視為半數人時代的開啟的話，那麼2009 年區塊鏈技術的出現可以視為數字人時代的啟動，從被動進化到主動進化，人類已悄然進入了元宇宙時代。

METAVERSE

5

× − +

硬件・軟件・意識

讓我們想象一下，如果把元宇宙用我們自己的身體來進行類比，是什麼樣子？

　　硬件相當於人的骨骼和肌肉（運動系統，為整個人體的行為做支撐，也用來支撐其他系統的存在）；數據相當於人的腸胃等器官（消化系統和呼吸系統，準確來說食物是數據，腸胃等器官是一些算法，將數據轉化為人可以用的"營養元素"）；計算相當於人的頭腦（中樞神經系統）；網絡相當於人的神經系統（外周神經系統），將信息快速傳遞和共享；數字化相當於更先進的基因改造技術，從基礎層面大幅度提高大腦反應速度、骨骼健壯程度、四肢靈活程度；經濟就相當於心臟和血液（循環系統），推動元宇宙健康、繁榮發展。

　　通過人的類比，我們好像可以了解元宇宙的組成框架了。

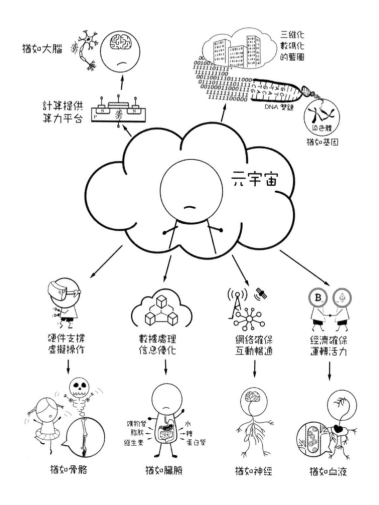

那麼，元宇宙到底是什麼樣的呢？

進入元宇宙世界，也就與虛擬世界連接在了一起。在元宇宙中，我們看到的是什麼？真實還是模擬？通過一組漫畫，我們先了解一下元宇宙是什麼樣的。

眨眼之間，連接眾人

身臨其境

記憶可以點播

再也不錯過精彩瞬間

跑步時
收集信息

旋轉時測速

175m/s

實時數據輔助 實現共同夢想

共同發現

共同探索

分享互動

世界一切知識
盡收眼底

創造一個屬於自己的
美好世界

在無盡的絢爛中
分享你的世界

分享你的生活

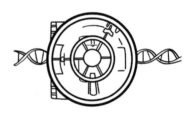

你的記憶和數據
永遠安全

　　在元宇宙中，我們可以分享生活，我們也可以改造世界，創造出全新的元素和規則。我們的記憶可以永久保存，我們的數據永遠安全，這就是元宇宙。

硬件與元宇宙

當下，輿論普遍認為元宇宙將是以立體畫面呈現的下一代互聯網。那麼，元宇宙的信息載體會是什麼呢？

現在手機和計算機是互聯網的載體，那麼誰來取代手機成為下一代互聯網的信息載體呢？虛擬現實（VR）和增強現實（AR）設備被業界寄予厚望，被我們忽略的、極可能獨立發展的另一個感官硬件體系——耳機，也可能成為互聯網載體。

VR/AR 頭盔已經突破了工程化的瓶頸，進入了大規模普及階段。只是當下暫時還缺乏剛性需求（如足夠吸引主流用戶的內容）。

近年來，隨著技術的突飛猛進，如更精準的傳感器，更長時間的電池續航，更複雜多樣的感官模擬，更精細的屏幕，更清晰的攝像頭等，產品的用戶體驗快速提升。

現在，主流的 VR/AR 頭盔已經是無線的了，更多的新一代智能穿戴設備也相繼問世。在沉浸式交互方面，可以實現在足夠小的設備上完成精準的觸控操作，可彎曲納米感應已經實現了全息 3D 觸覺反饋，甚至通過設備來模擬溫度變化和複雜的氣味也都已經成為現實。

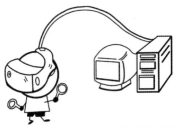

早期的 VR 頭盔需要線纜連接電腦

隨後快速經歷了從背包電腦到一體機，再到輕薄化的進化

攝像頭發展更為成熟，通過面部捕捉技術，人們就可以輕鬆獲得自己的"虛擬分身"。手機的物體捕捉功能在幾分鐘內就可以為某個物品創建一個高保真的立體虛擬模型。然後，我們將這些模型導入虛擬環境中，通過混合現實（MR）眼鏡還可以將虛擬景象疊加到真實環境中。

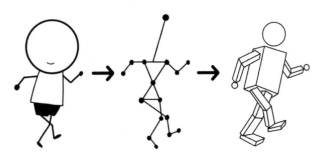

通過分析關節的運動進行動作捕捉

複雜的燈光設計可以提供多維光場顯示；高保真的音頻錄放設備能夠模擬具有空間感的音源；先進的算法能夠對空間數據進行壓縮和傳輸，以實現實時通信與信息再現。如果缺少了其中任何一個環節，都無法做到讓每一個細節都"看起來很真實"。

這些技術正是元宇宙宏大篇章的序曲。

遙望更遠的未來，什麼會成為人機交互的終極技術呢？答案中位列榜首的一定是腦機接口。除了腦機接口之外，還有另一種技術路線，被稱為光遺傳學，可以將神經元轉換為光敏元件，從而控制單個或成組的神經元。磁遺傳學與光遺傳學原理一樣，它是通過磁信號對大腦的神經元進行神經信號的讀取和寫入。

有了這些輸入輸出方法，使得建立一種大腦協處理器成為可能。

如果我們把目前的手機（外部設備）和大腦之間的關係定義為弱聯繫，那麼上文所提到的人機交互終極技術，就是人機更為緊密的聯繫，它帶來的可能是處理器級的連接。

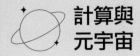

計算與元宇宙

電影的播放、遊戲的操控、操作系統的運行，都需要經過"渲染"這個計算流程。

在元宇宙中三維圖像越接近真實，所需的渲染就越多，計算也就越複雜。元宇宙以三維形式呈現，用戶可以以更靈活、更個性化的方式參與其中。可以預見，元宇宙會帶來歷史上最大的持續計算需求。

如果要創造一個與真實世界相互聯繫的攣生世界，應該需要怎樣的計算？繪製一整個城市的精細化三維模擬，並關聯從紅綠燈到無人駕駛的一切，以便優化人流和信息流。一個持久的、無休止的虛擬世界，需要支持無限的互動，每一個互動之後都會衍生出相應的持久的後續，影響著真實和虛擬兩個世界。即便是雛形中的元宇宙，也會耗盡當下所有的算力。

計算資源在將來可能是最稀缺的資源，機械性能的進步總是跟不上我們對算力的渴求。計算能力的可用性和發展會限制和重新定義元宇宙，儘管終端用戶不會意識到這一點。

傳統的渲染基本依靠本地計算機，這就像電網發明之初，人們想在自己家中用電都需要自備發電機一樣。

當下，遊戲等強互動聯網操作中，
渲染等耗算力的計算一般放在本地進行。

於是，有人認為，強互動的雲應用就像現在的電網，只要能連接到遠方的核電站，就能連上電，而不用管所用的電是從哪個核電站來的，大家都能共享雲資源。

　　但事實並不是如此，當下的強互動應用，每個人的使用方式不同，面對的渲染環境也完全不同。以強互動遊戲來舉例，接入雲端時，場景、人物、動作都不同，那麼就必須給每一個用戶單獨渲染。這就像給每個人都在電網中提供了一個大型發電機，還要確保專機專用。如果這樣，那就麻煩了。假如 100 萬人同時在線，就要有 100 萬台大型發電機，這幾乎是不可能的。

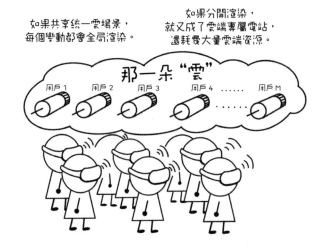

如果共享統一雲場景，
每個變動都會全局渲染。

如果分開渲染，
就又成了雲端專屬電站，
還耗費大量雲端資源。

那一朵 "雲"

用戶1　用戶2　用戶3　用戶4 ……　用戶M

假如把城市元宇宙的一部分智能技術的應用看作是城市大腦，另一部分智能技術的應用看作是城市的身體，那麼可以把這些應用看作一種計算任務，可以將計算任務粗略地分為大腦任務和身體任務。大腦任務可以在雲端完成，而身體任務還是在本地完成比較好。

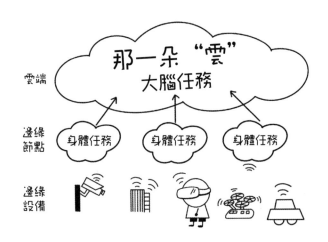

雲端　　那一朵 "雲"　大腦任務

邊緣節點　　身體任務　身體任務　身體任務

邊緣設備

在元宇宙的計算任務的分配上，我們可以發現兩種不同的趨勢。

一種是重新引入新的互動方式，將身體任務轉化為大腦任務。

假設目前已經推出多人直播互動真人秀，準確來講這不是真人秀，而是 AI（人工智能）秀。觀眾可以全天觀看多個 AI 驅動的虛擬角色一起探索一個神秘的島嶼，並收集線索以解決生存問題和生活難題，通過競爭完成一系列任務。它與一般直播真人秀的差別是，觀眾可以通過投票和實時互動來影響劇情的走向，票數最低的 AI 角色將被淘汰。

這種直播式的雲端互動遊戲，不需要下載客戶端，只需要通過瀏覽器即可，可以有數十萬人同時參與，大家可以像真人秀節目的導師一樣決定 AI 角色的命運。更為重要的是，這種新的互動模式的渲染都在雲端完成，這正是元宇宙式的互動模式。

另外一種趨勢是人們想出各種辦法來平衡算力。邊緣計算起源於 20 世紀 90 年代的 CDN（內容分發網絡）。不同區域的用戶訪問中心服務器的內容時，較遠區域的用戶會有延遲。內容分發是在訪問負荷大或延遲高的區域部署一個虛擬的緩存服務器，依靠這些虛擬的緩存服務器，通過中心平台的負載均衡、內容分發、調度等，使得用戶能從較近的邊緣服務器獲取內容，從而降低延遲。

邊緣計算通常被強調為元宇宙的關鍵基礎架構，它相當於是內容分發系統的加強版，能夠在用戶和較遠的中心服務器之間的關鍵網絡節點上部署計算中心。邊緣計算與內容分發在結構上是相似的，只是把虛擬存儲轉為計算中心而已。

最後，隨著計算的發展，算力通常不再依賴一個超級計算機或者一個計算中心的集群，而是將計算部署在網絡相互連接但位置分離的多個計算中心之中。

更進一步，假設每個用戶的終端也擁有一定的計算能力，且大部分都是閒置的，是不是可以將每個用戶終端的閒置計算能力分享出來，加入整個計算網絡？這就是一部分始終追求分佈式理念的人心目中真正的分佈式計算的概念。這就像馬斯克（Elon Musk）所預言的，未來特斯拉（Tesla）在不使用的時候可以作為自動駕駛汽車來賺取租金，而不是閒置在車庫中。

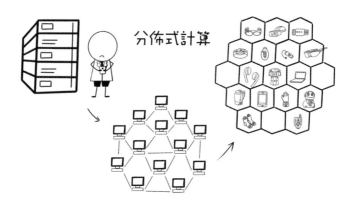

在同一個共享世界中共同打造一個可供數百萬名玩家參與的遊戲或互動，是業內人士一直想實現但一直沒有實現的一個有趣的挑戰。也許只有將終端的算力都連接起來的分佈式計算才能實現這個願望吧。

網絡與元宇宙

預計 2022 年骨幹網流量將增長到 4800 EB 以上，5G 和 Wi-Fi 6 技術的成熟使傳輸元宇宙的高清晰圖像成為可能。在技術的發展過程中，消費級硬件最能直接感知到終端網絡的更新。

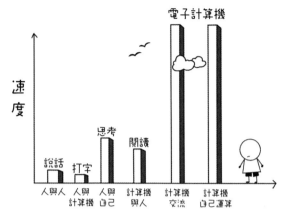

當下的信息交流速率對比

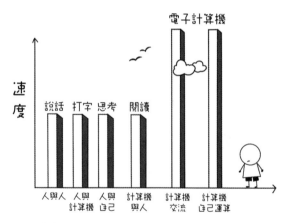

未來元宇宙中可能實現的交流速率對比

　　我們最理想的狀態就是在一個大型、實時、共享、持久的環境中進行交互，極速發送和接收大量的雲數據，甚至做到你的眼就是我的眼，我所見即你所見。

當前，人和人的交流速度，人和計算機的交流速度，計算機和人的交流速度都很低。如果用自來水管喝奶昔來形容計算機處理速度的話，那人類自我思考的時候相當於用一根比較粗的吸管來喝，而人與人之間的語言交流則相當於用小小的咖啡攪拌勺來喝，計算機打字（更不用提手機打字了）就好像用注射針頭喝奶昔一樣，一分鐘能喝一滴就不錯了。而在元宇宙中，這些信息溝通效率較低的方式都會被一個效率較高的溝通方式所取代。

我們的大腦是獨立體，而生命形態也是一個封閉體。在生物進化的過程中，直接通過神經突觸交換信息是不可能的，這也是語言出現的原因，人們必須要通過一個 "窄帶寬"、充滿 "干擾" 的音頻方式來進行溝通。

而元宇宙將改變這一切，它讓人們的溝通不再局限於音頻方式。

網絡最大的挑戰往往存在於大眾不在意的地方 —— 延時。與帶寬和網絡可靠性這兩個最直觀的指標相比，延時通常被認為是最不重要的指標，這是因為互聯網一向都是單向的或者異步的。

與可以容忍高延時網絡的民用應用相比，遠程採礦、電網監控、軌道交通、軍事應用，以及未來的各行各業，在與元宇宙融合後對網絡低延時的要求是剛性的。每多一點延時，都會帶來多一點的安全隱患。戰場上的超級數字士兵所面臨的是生死存亡，延時的高低決定著戰爭勝負成敗。

即便是民用網絡，在虛擬三維互聯網中，如果網絡出現延時，VR 頭盔中顯示的畫面也會出現卡頓，影響用戶體驗；在虛擬社交中如果延時嚴重，則會影響溝通，讓立體虛擬空間社交的沉浸感大打折扣。

所以，元宇宙非常需要低延時的網絡，低延遲甚至零延遲的網絡，可以改變人的生活狀態。

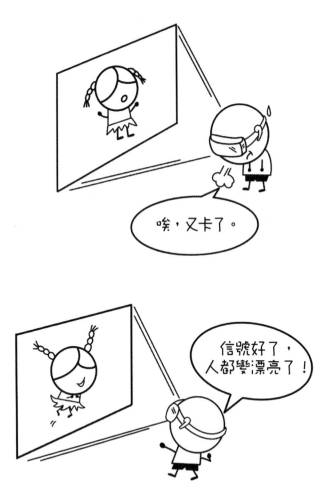

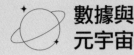

數據與元宇宙

　　自從人類進入電氣時代後，石油取代煤炭成為工業的血液，自此，各類爭奪石油資源的大戲不斷上演，強權對撞，戰火紛飛，最終石油貿易成為美元霸權的根基，奠定了 20 世紀後半葉與 21 世紀初的國際戰略格局。

　　而 2006 年，英國數學家 Clive Humby 提出數據是新的"石油"，這個觀點在 2017 年的《經濟學人》中被重述，引發了大規模的討論，到如今，這已經是一個普遍的話題。

　　《連線》（*Wired*）的主編凱文‧凱利（Kevin Kelly）曾說，第一個大型平台是個人電腦上互聯的網頁，它將信息數字化，將知識置於算法的力量之下，它被谷歌主宰了。第二個大型平台是社交媒體，主要在手機上運行，它將人數字化，並將人的行為和關係置於算法的力量之下，它由臉書和微信統治。

　　我們現在正處於第三個大型平台誕生的曙光之中，該平台將使世界數字化。在這個平台上，所有的東西和地理位置都將是機器可讀的，並會受算法的影響。

數據之於信息時代，就如同石油之於工業時代。而我們製造產品、解決人類問題及使用數據的方式都會定義下一波技術浪潮，包括元宇宙。

互聯網是一個數據礦場，它創建了很多有價值的品牌。與今天的網絡相比，元宇宙將擁有更多的數據和更多的回報。

元宇宙中所涉及的數據，不僅僅是我們點擊的位置和我們選擇分享的內容數據，而是關於我們選擇去哪裏、我們眼睛看向哪個方向的時間最長、我們身體的移動和對某些刺激做出反應的微妙的數據。

例如，自動駕駛汽車上有許多高質量的傳感器，不斷搜集從路況到本地天氣再到光線質量等方方面面的數據，這些數據對市政管理、汽車製造商、保險公司、軟件公司、緊急服務部門、交通運輸部門都至關重要。

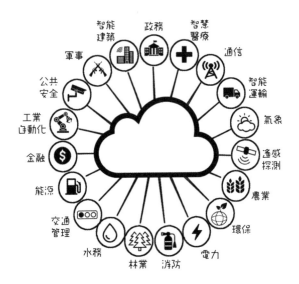

　數據的變動和更新也讓孿生城市每時每刻都需要更新當前世界的變化，在數據庫更新之後，三維城市模型也需要進行更新。

　城市物聯網系統就像城市的感知系統，而數據是這個系統的燃料，元宇宙不過是在這基礎上再新增一些數據而已。

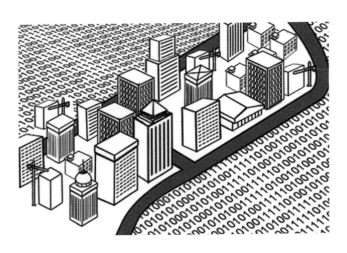

意識與元宇宙

　　硬件、計算、網絡、數據、數字化（三維化）場景，以及後面將要講到的經濟系統，將會為我們構成一個認識元宇宙的框架。

　　在這個框架之上，我們可以進一步討論意識與元宇宙的關係問題。

　　2013 年，谷歌技術總監宣稱，到 2045 年，我們將把整個思想上傳到計算機中，成為 "數字不朽者"。上傳思想被稱為人類發展的奇點，而奇點已經臨近。

　　把思想上傳到計算機一事有些爭議，畢竟思想上傳後會發生什麼誰也無法確定。有可能人的意識會在計算機中繼續存在，即 "我還是我"，這其實是基於 "基質獨立（substrate-independence）" 的一個猜測。

　　當物質在時空中以某些原理的模式移動時，它們會產生某種獨立於基質的現象，如波和計算。

　　任何波與其傳播都是獨立於其傳播介質的，速度、強度、頻率等性質就能描述一個波。

同樣，圖靈證明了"計算"也是獨立於基質的。不管是老古董電子管計算機還是晶體管芯片計算機，無論是電腦、平板還是手機，其計算過程都是獨立於計算設備的，不同設備只有計算能力的區別，與計算本身無關。

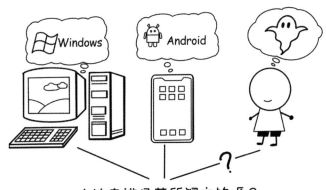

人的意識是基質獨立的嗎？

關於"意識"，或者所謂的"智能"，雖然暫時我們還無法提供有效的證明，但許多人相信，它不過是信息處理的結構，而不是事物的結構（不是硬件而是軟件），它很可能也是"基質獨立"的。如果信息處理本身遵循某些原則，它就會產生更高層次的基質無關現象，這就是意識。

如果意識是基質獨立的話，那麼，很根本的一個問題就是，我們可以拒絕崇拜碳基、矽基或者其他的材料，不依託於某種特殊基質也可能產生與人相同甚至超過人的智能。

和戴上 VR 頭盔進入元宇宙的人一樣，人的注意力會只在雲端，或者只在現實。如果有一種能截獲大腦信號並接管視覺、聽覺、觸覺的技術，將信號連接到雲端，那麼人類的身體在這段時間內其實是進入休眠的，人不會感受到現實中的一切，除非斷開雲端的連接，意識才會再次連接上身體。

所以，美國物理學家邁克斯·泰格馬克（Max Tegmark）說物質不重要，真正重要的是模式，計算、智能、意識，都是粒子在時空排列中的模式。

未來，我們需要依據這種模式來構建真正意義上的元宇宙。

METAVERSE

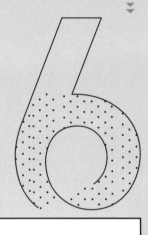

6

× ─ ＋

元宇宙的
"十一維"

我們可以從科幻世界出發來想象或認識元宇宙，但元宇宙最終要從科技領域開始啟動，它融合了信息技術（5G/6G）、人工智能、雲算力、大數據、區塊鏈，以及 VR、AR、MR 和遊戲引擎等在內的虛擬現實技術的成果，對於人類來說，一個與現實世界平行的數字世界已經近在咫尺。

　　如果這個數字世界擴大，它必然引發基礎數學（算法）、信息學（編程、信息熵）、生命科學（腦機接入）、區塊鏈（加密金融）、量子計算（算力）等學科的深入研究和交叉互動，也必然會帶來哲學、邏輯學、倫理學等人文科學體系的全新突破。

　　創造一個超越現實的"天堂"，這是人類從未有過的體驗。如果站在更遠的時代來審視"元宇宙"，它會是一個什麼樣的世界？接下來，我們將從十一層維度來解析這個宇宙。

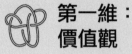

第一維：
價值觀

元宇宙是一個開源、共識、自我、去中心化的新世界。

1974 年，TCP/IP 協議正式發表，定義了電子設備如何連入因特網，以及數據如何在它們之間傳輸的標準，從而構成了互聯網的基礎；2008 年，中本聰發明了一種點對點的電子現金系統，掀起了區塊鏈的開源變革。

互聯網與區塊鏈是元宇宙的基石，這兩個世界本身的價值觀必然會滲透到元宇宙中。然而，元宇宙是無所不包的人類複刻體系，這意味著元宇宙還要考慮人本身的價值。

總結起來，開源、共識、自我、去中心化是元宇宙的基本價值觀。

- 開源：元宇宙要求所有參與者一起創造新事物，只有開源生態才能做到這一點。
- 共識：元宇宙屬於分佈式治理社會，偉大的行動需要凝聚共識。
- 自我：不同於區塊鏈的透明機制，元宇宙中的個人需要隱私和自我。
- 去中心化：一是解決互聯網已有弊端，二是繼承區塊鏈核心價值。

第二維：世界設定

感受到個人和整個族群的進化

世界設定的框架決定了文明的高度。

在元宇宙世界中，世界設定的邊界，就是文明發展的極限。

人類歷史，其實就是一部想象力變現的發展史。

將想象轉化為人性本身的追求，從而激發人的創造力，凝聚氏族的生產力，生產關係被自發優化，最終推動了想象力變現，發展出現代社會，成就了今日的恢宏文明。

從東非出發的智人想象遠處的家園，尼羅河上的漁夫點燃篝火，一邊烤魚一邊思考人生，拉帕努伊島的島民合力築起了復活巨像，一個落魄的程序員開始用編程建設自己的想象世界……強大的想象力最終都落地成為恢宏文明。

但這種想象，仍然被大自然所限制著。

從奴隸社會進化到封建社會，從封建社會進化到工業時代，從工業時代又進化到信息社會，人類擺脫大自然的限制的能力越來越強。到了元宇宙時代，人類想象力將會全面實現質變。

隨著技術和硬件的發展，想象力將成為文明進化的核心要素，只要你能在大腦裏構想出一個完整世界，自進化的技術就能將它納入元宇宙生態裏；只要能被想象出來，人工智能技術就能將它們製造出來，元宇宙時代就是人類的魔法時代。

不同於現實世界的自然進化，元宇宙需要更有想象力和目標感的世界設定，這與未來文明息息相關，大自然的進化人類很難完全主宰，但元宇宙是人類自己創造的世界，可以進行任意的高質量的設計。

第三維：
超現實治理

源於現實又要高於現實的社會治理

　　很多人一直認為元宇宙是一個遊戲連遊戲、遊戲套遊戲的超級遊戲，在裏面任何人都可以創建不同的角色，並進行人生模擬設計，與其他人進行交流和互動。

　　事實上，以遊戲來定義元宇宙明顯太淺薄，它是一個超現實世界，是在給人類的發展創造一個新的空間，在這個超現實的世界裏，有很多特質是現實世界所不具備或者不完全具備的。

◆ 去中心化治理

　　在元宇宙這個世界裏，是沒有中心領導人的，沒有人可以發號施令。在去中心化的社會組織裏，管控是分散存在的，而不是按等級劃分的。它運用一種更扁平的管理結構，以及一套自動在元宇宙裏實施的規則，允許每個人參與討論，鼓勵團隊合作。

✦ 代碼即法律

在元宇宙的世界中，由代碼構成的智能代碼合約形成了"自規則"——元宇宙中的法律依靠代碼運行，將使信息更加透明、數據更加可追蹤、交易更加安全，大大降低了法律的執行成本，從某種意義上來說是一種"法律前置"。

✦ 共算主義

每個人都有獲得算力的權利，每個人也有貢獻算力的義務。算力是元宇宙世界最核心的資源，未來很可能不僅允許每個人獨自獲取算力，而且法律機制鼓勵每個人獲取算力和交易算力，促進整個元宇宙世界的整體發展。

✦ 數據私有

平台是個人和公司共同建立的，但是用戶數據歸用戶所有，用戶可以持有私鑰掌控個人數據，元宇宙世界中的數據已經是個人不可分割的部分，用戶擁有完全自主管理個人數據的權力。

✦ 分佈式金融

元宇宙中的金融體系以分佈式為主，分佈式金融有更強的開放性和包容性，不需要依賴任何中心化的主體來提供信用中介或者背書；沒有准入限制，即任何一個聯網的人都可進入；任何第三方均無法阻止任何一筆交易，也不能逆轉任何一筆交易。

 遊戲即勞動

在元宇宙的世界裏遊戲即生活，遊戲即勞動。元宇宙連接了物理世界和虛擬世界，從而將遊戲和勞動結合起來。

 # 第四維：
數字身份

隨著真實世界不斷被數字化，每個人都可以擁有自己的保真度不一樣的數字化身。

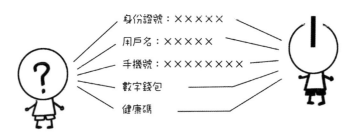

身份證號：×××××
用戶名：×××××
手機號：××××××××
數字錢包
健康碼

刪除這些代碼後，我是誰？
0與1組成我生活的開關。
每個人都有一個真實的
數字化身。

2003 年，林登實驗室推出了模擬現實社會生活的大型網絡遊戲《第二人生》，在遊戲中每個人都可以創建自己的三維虛擬化身。

2013 年，美國社會學家威廉·西姆斯·班布里奇（William Sims Bainbridge）預測，有朝一日我們能把自我的一部分轉移到自己的人工智能模擬上，這些模擬的化身可以獨立於我們自行運作，甚至在我們死後依然存續。

2016 年，經濟學家羅賓·漢森（Robin Hanson）設想將所有人的意識都上傳到網絡，以虛擬生命"仿真人"的形式存在。

2020 年，美國饒舌歌手特拉維斯·斯科特（Travis Scott）通過其虛擬化身，在《堡壘之夜》成功舉辦了一場演唱會。

2021 年，Facebook 已經可以使用三維的數字分身進行在線的視頻會議。

在未來的元宇宙中，人們會有一個甚至多個獨特且長期不變的身份，並能利用這個身份在元宇宙裏積累經驗、財富和人際關係。如果缺失了這一數字身份，那將只是元宇宙的觀察者，而不是參與者。

這個數字身份，與現實世界中個人的性別、國籍、學歷、經歷和財富並不掛鈎，它也不是由某個權力機構賦予的，而是由個人根據自己的價值觀、元宇宙觀、個體定位等因素，通過個人在元宇宙中的種種行為和選擇進行賦權。它是一個真實存在且影響未來的數字 ID。

在這裏我們可以設想一下"數字身份"使用的基本場景：你註冊於 2140 年 3 月 15 日 20 點 18 分 21 秒 88 毫秒，你的編號是 2140 031520182188，這就是你的數字身份，它將記錄你在元宇宙的所有信息，承載你在數字世界中的價值。

從此，你將與這個數字身份生死相依，它會記錄你在元宇宙中的所有人生軌跡。

第五維：
經濟體系

搬 "數字" 磚，建 "元宇宙"，催生新型經濟。
元宇宙有一個分佈式的新經濟體系。

毫無疑問，區塊鏈將主宰元宇宙世界的經濟體系。也正是因為引進了區塊鏈的金融體系，元宇宙才將能夠真正落地。

✦ 支付和清算系統

　　元宇宙的經濟系統將由區塊鏈來控制，區塊鏈擁有數據難篡改、透明、唯一、點對點支付等基本特性，這些基本特性使得區塊鏈擁有了天然的"去中心化價值流轉"特徵，可為元宇宙提供安全的經濟支付和清算系統。

✦ 智能合約處理中介事務

　　智能合約具備自動化、可編程、公開透明、可驗證等特性，使得元宇宙這個數字世界中的財產交互無須第三方機構的介入與監督。如果將元宇宙中的金融系統構建於區塊鏈之上，那麼金融契約將以程序化、非託管、可驗證、可追溯、可信任的方式進行運轉。

✦ NFT（非同質化代幣）

　　NFT（Non-Fungible Token，非同質化代幣）是用於表示數字資產的唯一加密貨幣令牌，它可以映射現實世界的物理資產，也可以是元宇宙世界的原生數字資產，它依靠 ERC-721 等公鏈協議來確保唯一性，因此 NFT 非常適用於標記具有排他性和不可分割性的個體身份、權益和資產，並可以實現權益和資產的自由交易和轉讓。

　　不同於傳統的簡單的經濟分成模式，元宇宙將構建新的分佈式的經濟體系。元宇宙的經濟體系是支撐整個虛擬世界運轉的軸承，構建分佈式的經濟體系，能夠充分保證資產的歸屬和價值可以在元宇宙中得到無邊界的廣泛確認。利用區塊鏈的技術，藉助

DeFi、NFT 等加密手段，構建一套以數學為底層邏輯的經濟框架，才能吸引人們在元宇宙中生存並進化。元宇宙分佈式的經濟體系，意味著平台與平台之間要互通互聯，跨平台的用戶要互通互聯，平台賺到的錢要分享一部分給用戶，用戶賺到了錢要投入一部分用於平台的更新，用戶變成平台的股東，否則用戶並不會放心把自己的數據交給平台使用。

如果沒有一個全新的分佈式的、多層次的經濟體系，元宇宙中的價值和資產就無法實現流轉，元宇宙依舊會存在壁壘和壟斷。沒有一個全新的分佈式經濟體系，沒有區塊鏈金融體系的接入，元宇宙便無法被稱為去中心化的元宇宙，它只能是一個傳統遊戲，而不是一個人人皆可接入的數字空間。

 # 第六維：
開源創造

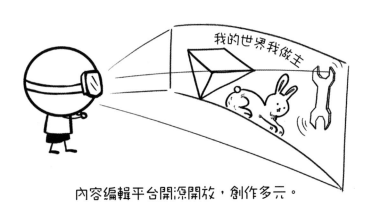

內容編輯平台開源開放，創作多元。

1991 年，托瓦茲（Torvalds）發佈了 Linux，藉助開源的力量與微軟分庭抗禮。

2007 年，開放源代碼的安卓操作系統打破了蘋果操作系統的閉環，吸引了無數程序員加入。

2013 年，Twitter 上市，逐漸成為全球新聞、娛樂和評論的重要來源。

2019 年，微軟發行的《我的世界》成為世界上發行量最大的遊戲。

2020 年，Roblox 上的內容開發者已經超過了 100 萬人。

開源創造，逐步成為未來平台的核心功能。所以，未來的元宇宙的內容將全部來源於參與者。相較於傳統互聯網，在元宇宙中，內容的重要性要遠遠大於平台的重要性。依託開源的方式，所有人都能夠參與到內容創造中，享受共同創建元宇宙的樂趣。開源方式包括技術的開源、設定的開源、內容的開源。

其中，內容的開源最為重要，元宇宙是一個充滿想象力的世界，內容是元宇宙最龐大的數據和資產。誰擁有了創意，誰就能擁有優質內容，誰就能建立新平台。長遠來看，平台依附於內容創作和創意的湧現。開源創作是元宇宙持續更新的基本動力，創意的湧現需要所有參與者的互動，平台不能反客為主。

所以，內容的重要性將大於平台的重要性，這將是元宇宙的一個基本定律。

第七維：
虛實共生

　　宇宙一開始是關於虛擬世界的願景，大概在 2007 年後，實體的互聯、增強現實技術的應用為元宇宙增添了一些現實願景。

　　2013 年之後，元宇宙就不是一個關於虛擬世界的概念了，它成了一個虛擬世界和現實世界結合的新世界。

　　真正的元宇宙，絕對不是一個簡單的虛擬世界，它與平行世界也不是相互割裂，而是交匯融合。線上 + 線下是元宇宙未來的存在模式。線下的場景會成為元宇宙的一個重要組成部分，元宇宙也會為線下的沉浸式娛樂帶來更多可能。

一個虛擬世界和現實世界結合的願景

在開始時，人們可能會關心元宇宙與現實世界邊界的問題，但隨著元宇宙技術的發展，兩者的邊界將會變得越來越模糊，直到完全消失，變成一個硬幣的兩面，相互依存。

- 元宇宙時代無物不虛擬、無物不現實，虛擬與現實的區分將失去意義。
- 元宇宙將以虛實融合的方式深刻改變現有社會的組織結構與運作方式。
- 元宇宙不會以虛擬生活替代現實生活，而會形成虛實結合的三維新型生活方式。
- 元宇宙不會以虛擬社會關係取代現實中的社會關係，而會催生線上線下一體的新型社會關係。
- 元宇宙並不會以虛擬經濟取代實體經濟，而會從虛擬維度賦予實體經濟新的活力。

隨著虛實共生的深入，一個更大的問題可能會出現，即人類將混淆現實與虛擬，這將引發全新的哲學思考。

第八維：
全生態進化

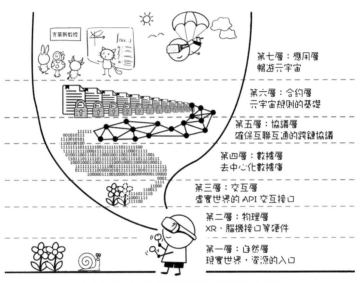

第七層：應用層
暢遊元宇宙

第六層：合約層
元宇宙規則的基礎

第五層：協議層
確保互聯互通的跨鏈協議

第四層：數據層
去中心化數據庫

第三層：交互層
虛實世界的 API 交互接口

第二層：物理層
XR、腦機接口等硬件

第一層：自然層
現實世界，資源的入口

元宇宙的世界模型可以分為七層

　　第一層：自然層，也就是現實世界，這是資源的入口。

　　第二層：物理層，包括 XR、腦機接口等硬件。

　　第三層：交互層，虛實世界的 API 交互接口，包括虛實交
互，人與物交互。

　　第四層：數據層，這是記錄元宇宙中各種信息的去中心化數
據庫。

第五層：協議層，類似互聯網 TCP/IP 架構的跨鏈協議，確保元宇宙互聯互通。

第六層：合約層，基於底層協議發佈的各類智能合約，是元宇宙規則的基礎。

第七層：應用層，類似"鏈遊"的各類數字應用，讓用戶可以暢遊元宇宙。

元宇宙是一個非常宏大和複雜的結構，同時也是一個非封閉、非孤立的系統，這樣一個系統不是像某個遊戲那樣可以一起打包升級，整個系統的變化和升級是非常複雜的，它屬於一個整體，所以它的升級和改造是全生態的進化。全生態進化要考慮四點：模塊化，整體化，進化感，共識性。

一個不斷生長和壯大的元宇宙，它的系統架構最終會向生命體學習，它的進化會向自然進化學習。

第九維：
多重人格社交

20 世紀 80 年代，國內開始辦理手機號碼，到現在幾乎每個人都有一個獨立的手機號碼，我們能夠通過它聯繫上每一個關係密切的人。

"精神分裂者"的春天

20 世紀 90 年代，內地不少人開始申請 QQ 號碼，現在會上網的內地人幾乎都擁有自己的 QQ 賬號。

21 世紀初，我們開始用不同的身份登錄不同的遊戲、網站，與不同的人以不同的方式進行社交。

在元宇宙中，"精神分裂者"的春天到了。

元宇宙將開啟多重人格社交，每個人可以擁有不同的角色，你可以在元宇宙 1 中當一個植物學家，在元宇宙 2 中當一名宇航員，在元宇宙 3 中做一個王國的領袖，在元宇宙 4 中變成一隻小動物……

你可以同時擁有多個身份，但它們都是你的分身，都是你精神意志的部分體現。當然，這些身份都可以連接到同一個經濟系統中，雖然身份不同且分離，但它們之間沒有壁壘阻隔。

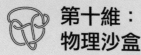

第十維：
物理沙盒

一個虛擬世界和現實世界結合的願景

　　元宇宙是一個非常龐大的系統，它的物理接入非常複雜。

　　"元宇宙"是以"硬科技"為堅實基礎的，包含顯示（Micro LED、Fast LCD、LCos 等）、光學（自由曲面、小棱鏡、陣列光波導、衍射光波導、VR 超短焦等）、網絡設備、集成電路、通信組件、高像素高清晰攝像頭。

　　它的硬件系統包括 3D 引擎和 VR、AR 等 XR 設備，以及 5G 通信、大帶寬的網絡接入、雲算力和邊緣計算，甚至還包括網絡設施與芯片、區塊鏈等幫助構建生態系統的分佈式架構。

　　正因為如此，元宇宙中的應用層和物理層需要分離，與技術相關的一切會隱藏在"物理沙盒"裏。

"物理沙盒"是數學代碼和硬件運行的載體，數學代碼是表層體驗的內在結構。物理實體及它承載的數學代碼連接非常複雜，涉及多個系統之間的硬件和代碼的協調，在元宇宙建構時，還要考慮多主體、多公司之間的法律協議。這些都依賴於一致的標準數學代碼形成的底層協議。"物理沙盒"給不同層次的元宇宙參與者提供了從物理到數學再到體驗層的發展空間。

　　因此，如同計算機程序運行需要一個沙盒進行隔離試錯一樣，元宇宙的底層物理設備和中層數學代碼也必須模塊化，形成可以試錯、修改、調整、更換的沙盒。這個"物理沙盒"的總體規模就是整個現實世界和虛擬世界的疊加，沒有任何人能夠知道這個沙盒的全部細節，只能各自佔據模塊化的小片進行修改和調試。

　　"物理沙盒"允許少數工程師進行調試，對於這個過程，大部分表面體驗層的用戶、玩家、公司等參與者並不清楚，也不需要清楚下一層的物理、數學載體和機制，他們只需要提出要求，由工程師控制去中心化的"物理沙盒"，"物理沙盒"通過與表層體驗的分離控制，以及自身的隔離和去中心化，可以保證元宇宙的安全性、穩定性和保密性，給創意的快速傳播提供堅實的硬件基礎。事實上，任何優秀的虛擬世界的理念，都必須在承載它的物理基礎上實現。

　　"物理沙盒"的最終目標是滿足低延時、沉浸感、穩定性、光滑連接這四點要求。

第十一維：
非線性時空

時間尺度上的平行和非線性

在現實世界中，我們生命中的一切都一直以單箭頭的形式前行。我們所處的現實世界只有一個世界，換句話說，你只能進行一次人生體驗，而且不可更改。現實人生不像遊戲，沒有存檔和重新來過的選項。現實中的人生是線性的，但元宇宙在時間尺度上卻可以是平行的和非線性的。利用元宇宙中的數字身份和多重人格，你可以進行類平行宇宙式的體驗，在同一時間尺度上，你可以完成不同的事情，實現小說中才可能出現的"非線性敘事"。

在元宇宙中，你可以把自己同時放置在數個遊戲、多個場景之中，甚至可以從一個時間線跳躍到另一個時間線，從元宇宙的這個模塊跳躍到另一個模塊。如果可能的話，原本沒有交集的角色也可以進行互動。

這是一個被打亂的宇宙，也是一個重組的宇宙，更是一個個人選擇遠多於現實世界的宇宙。空間和時間背景不僅扭曲，而且互相穿插，並且是由參與者決定它們的連接方式，這意味著元宇宙進一步拓展了人類自由的邊界。

十一維空間是 20 世紀 90 年代超弦理論中提出的空間結構，即宇宙是十一維的，由震動的平面構成。從十一個維度出發，現實世界還有許多技術難題需要解決。

趨勢已起，元宇宙的"十一維"何時能實現，取決於人類技術的發展狀況。

總體來說，未來，將有無數個子宇宙共同連接成一個元宇宙。在這些子宇宙中，你只有唯一一個底層的數字身份（可以孵化出其他不同的身份）。通過這個數字身份，你將像頭號玩家一樣，在元宇宙中隨意穿梭，你所有的數據流動和資產流轉都是一體的和共通的。

同時，在這個過程中，會形成一個自發的元宇宙秩序，並且像在現實世界一樣運行，形成一個真正的平行世界。

METAVERSE

7

× − +

智能合約 · 數學 NFT

2021 年之前，元宇宙創世的一切其實早就具備，其核心技術已經被人類掌握，但為什麼元宇宙之前一直是沉寂的？現在為什麼又突然成為熱點了呢？元宇宙之所以突然激發了很多極客的熱情，是因為極客的先行者發現了元宇宙的"補天石"——區塊鏈，它可以將元宇宙需要的這些技術連接起來。

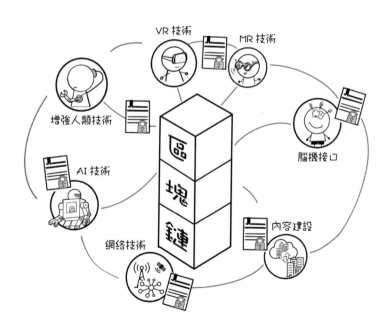

補天石是什麼？遠古時代，天塌地陷，世界陷入巨大災難。女媧不忍生靈受災，於是煉五色之石補天空，折神鰲之足撐四極，平洪水殺猛獸，通陰陽除逆氣，使萬靈得以安居。

可以說，有了補天石，零碎破損的天地萬物才得以和諧統一。

那麼區塊鏈技術作為元宇宙的補天石，會給元宇宙帶來什麼呢？

從最表層來看，它帶來的是數字 ID 所承載的獨一無二的身份，是經濟體系的安全穩定運行，是代碼（即法律）的公共治理，使個人數據開始真正屬於自己。

區塊鏈的快速發展帶來的是機制的變化：私鑰即一切，智能合約、NFT、預言機發展迅速。這些機制的變化會帶來更深刻的上層建築變化：公正與自由、去中心化、數據私有化反壟斷，等等。

對於元宇宙，物理硬件只是外在的肉身，區塊鏈才是鮮活的靈魂。

最底層的物理硬件和最表層的視覺感性體驗之間，是看不見摸不著的數學代碼，它們支撐著元宇宙的信息有序地運轉。

Meta 是
反元宇宙

2021 年 10 月，Facebook 宣佈將公司名稱更改為 "Meta"，公司股票代碼將從 "FB" 變更為 "MVRS"。扎克伯格在公開信中描述："我們希望在未來十年，元宇宙將覆蓋十億人，承載數千億美元的數字商務，並為數百萬名創造者和開發者提供就業機會。"

很多關注元宇宙理論的人對此嗤之以鼻，他們認為 Facebook 正在建造的元宇宙是數字版本的地獄，而非數字世界理論者眼中的 "美麗新世界"。

他們更相信以太坊（Ethereum）才是真正的元宇宙，那兒才承載著 "元宇宙" 的核心精神。在加密先行者看來，Meta 鼓吹的 VR/AR/MR 等技術只是元宇宙的皮相，而非元宇宙的本質。無論有多少花裏胡哨的硬件接入，也只相當於給人披上了一層盔甲而已，沒辦法給人以精神上的提升。

元宇宙的確是技術的融合體，腦機連接打破虛擬與現實的沉浸感邊界，人工智能提高數字角色的互動性，雲計算和邊緣計算為元宇宙解決了推動效率問題，5G/6G 提供了寬闊的數據通道。

然而，能夠將這些技術連接起來的核心是區塊鏈，其中的佼佼者就是以太坊，它提供了信任和協作機制，打破了數據一盤散沙的局面，憑藉加密數學的力量，從經濟學的角度解決了財富的所有權識別和交易問題，從而可以推動"元宇宙"的大規模建設。

從去中心化角度來看，以太坊才是真正的元宇宙，Meta 不過是元宇宙的反面典型。

所以，以太坊與 Meta 的比較，相當於元宇宙和偽元宇宙的比較。以太坊是開源的，而 Meta 是封閉的；以太坊的技術是透明的，而 Meta 則是不透明的；以太坊是無須許可即可進入，而 Meta 則需要實名許可；以太坊是社區自治，而 Meta 則是中心權威。

扎克伯格的 Meta 只是想藉助元宇宙的風頭升級自己的"社交帝國"，渴望提前一步成為數字世界的霸主，在"元宇宙"的世界裏成為中心節點，然而，這在本質上並不符合元宇宙的去中心化本質。

為什麼一部分人對扎克伯格的 Meta 如此敏感？因為傳統互聯網的"中心化"讓很多人失去了對世界的信任，財富與數據的集中化讓整個社會變得撕裂，更多人想從"互聯網世界"遷移到"區塊鏈世界"，或者是從"傳統世界"升級到"元宇宙"，因為這裏是一個更公平的世界，數據歸自己所有，財富無人可以剝奪。

那元宇宙為什麼能做到這些？為什麼大家更相信它是一個更加公平正義的世界？它用什麼來獲取先行者的信任？

因為元宇宙運行的底層基石是區塊鏈，區塊鏈的底層邏輯就是建立信任，而建立信任依靠的是數學和加密學。

在元宇宙世界裏，數學契約以程序開源來獲取社區認可，它比任何人都值得信任，這就是很多人相信元宇宙是一個公正公平世界的原因。

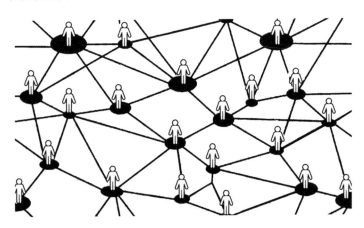

以元宇宙的"數字ID"為例，為什麼這個數字ID就完全屬於一個人？它真的是獨一無二的嗎？真的沒有中心節點能夠刪掉你的賬號嗎？

是的，因為你掌握著這個數字ID的私鑰，這把私鑰的背後，是數學在為你提供最安全的保護，私鑰即一切。

私鑰即一切

為什麼説私鑰即一切？數學為元宇宙的"數字ID"到底提供了怎樣的安全保護？本質上來講，數字ID的私鑰和加密貨幣的私鑰沒什麼區別，就以"私鑰即一切"為例，來解釋數字ID為什麼屬於個人而非平台。

追根溯源的話，這個功勞屬於中本聰，他在2008年發表的《比特幣：一種點對點的電子現金系統》的論文中提到在線支付需要解決的首要問題是數學能否實現信息安全。

以比特幣為例，從錢包加密這個流程來看它的安全性，中本聰的解決方案同樣很可能會在"元宇宙"的數字ID保護上被執行。

比特幣安全的核心是私鑰，擁有私鑰就擁有私鑰對應比特幣的使用權限。所以，加密錢包的核心對象顯而易見，就是私鑰。

在解讀加密過程前，讓我們先了解以下名詞。

- 密碼：從外部輸入的，用來加密和解密錢包的字符串。
- 主密鑰：一個 32 字節的隨機數，直接用於錢包中私鑰的加密，加密完後立即刪除。
- 主密鑰密文：根據外部輸入的密碼對主密鑰進行 AES-256-CBC 加密的結果，該加密過程為對稱加密。
- 主密鑰密文生成參數：主要保存了由主密鑰得到主密鑰密文過程中參與運算的一些參數，由該參數配合密碼可以反推得到主密鑰。
- 私鑰：橢圓曲線算法私有密鑰，即錢包中的核心，擁有私鑰就擁有私鑰對應的比特幣使用權，而私鑰對應的公鑰只是關聯比特幣，沒有比特幣的使用權限。
- 私鑰密文：主密鑰對私鑰進行 AES-256-CBC 加密解密的結果，過程為對稱加密。

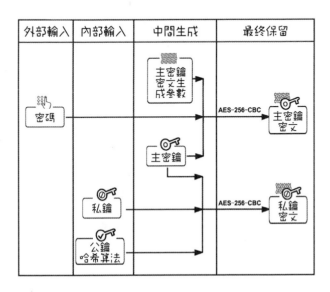

根據加密解剖圖，加密過程可以解剖如下。

首先，程序生成 32 個字節隨機數作為主密鑰，然後根據外部輸入的密碼，結合生成的主密鑰密文生成參數，一起對主密鑰進行 AES-256-CBC 加密，加密結果為主密鑰密文。

稍後，我們將主密鑰對錢包內的私鑰進行 AES-256-CBC 加密得到私鑰密文，待加密完成後，刪除私鑰，保留私鑰密文，同時刪除主密鑰，保留主密鑰密文和主密鑰密文生成參數。

就這樣，錢包的加密就完成了。

接下來，我們總結一下加密過程的輸入和輸出參數。

- 輸入：密碼。
- 中間生成：主密鑰、主密鑰密文生成參數、主密鑰密文、私鑰密文。
- 最終保留：主密鑰密文生成參數、主密鑰密文、私鑰密文。
- 內部輸入：私鑰。

比特幣的整個加密流程是非常安全的，我們上述提到的公鑰和私鑰是比特幣使用橢圓曲線算法（也就是 Secp 2561k1 曲線）生成的。這種算法十分強大，如果不是存在大量突破性的攻擊，它可以持續使用多年，具有安全性和保障性。

未來的元宇宙的數字 ID 將會有更方便、更強大的加密機制，但本質的問題不會改變，你的數字財富將完全屬於你自己，沒有人可以剝奪。

私鑰加密只是元宇宙在數學方面的冰山一角，在元宇宙的世界，處處都充滿數學的保護。

什麼是
智能合約

　　上面詳細介紹的私鑰加密的數學技術，就是元宇宙底層的數學基石，而建立在這些數學基石之上的"智能合約"，就是維護元宇宙宏觀世界得以秩序井然的關鍵。這些"智能合約"以智能化的方式維護著元宇宙的各種複雜的社會關係。元宇宙不相信人的承諾，但相信程序代碼。

✦ 合約

　　合約，常被稱為"契約"，本質為一種合意，依此合意，一人或數人對其他一人或數人負擔給付、作為或不作為的債務。雙方當事人以發生、變更、擔保或消滅某種法律關係為目的的協議，就叫合約（契約）。

傳統合約

合約簽訂

第三方制約

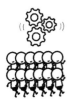

合約執行

新婚燕爾，一紙婚約是為合約；

你借我貸，電子貸款協議也是合約；

你上班我付工資，勞動僱傭關係也是合約；

……

合約無處不在，協議也就遍地叢生。

✦ 智能合約

"智能合約"概念由計算機科學家、加密大師尼克・薩博（Nick Szabo）在 1994 年所寫的《智能合約》論文中定義：一個智能合約是一套以數字形式定義的承諾，包括合約參與方可以在上面執行這些承諾的協議。

（1）數字形式

數字形式意味著合約需要被寫入計算機可執行的代碼中，只要參與者達成協定，智能合約建立的權利和義務就會由一台計算機或者計算機網絡執行。

① 達成協定：智能合約的參與方在什麼時候能達成協定呢？這取決於特定的智能合約的實施。一般而言，當參與方通過在合約宿主平台上安裝合約並致力於合約的執行時，合約就被發現了。

② 合約執行："執行"的真正意思也依賴於實施。一般而言，"執行"意味著通過技術手段積極實施。

③ 計算機可讀的代碼：另外，合約需要的特定"數字形式"非常依賴參與方同意使用的協議。

智能合約

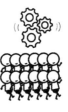

區塊鏈

合約簽訂　　　　　第三方制約　　　　　合約執行

（2）協議

協議是技術實現，在這個基礎上，合約承諾被實現，或者合約承諾實現被記錄下來。選擇哪個協議需要考慮許多因素，最重要的因素是合約履行期間被交易資產的本質。

薩博認為智能合約的基本理念是，許多合約條款能夠嵌入硬件和軟件。他認為，嵌入式合約最初的應用實例是自動販賣機、銷售點終端、大公司間的電子數據交換和銀行間用於轉移和清算的支付網絡。另一個嵌入式合約的例子是數字內容消費，如

數字化的合約便於檢視執行

音樂、電影和電子書等領域的數字版權管理。

如此看來，智能合約一開始就是奔著超越普通的紙質法律合約的目的去的。數字化、智能化的代碼直接嵌入軟件之中，這是一種執行力非常強的虛擬合約。

（3）本質

從本質上而言，智能合約是一種直接控制數字資產的計算機程序。它通過在區塊鏈上寫入類似 if-then 語句的程序，使得當預先編好的條件被觸發時，程序自動觸發支付並執行合約中的其他條款，也就是說，它是儲存在區塊鏈上的一段代碼，由區塊鏈交易觸發。

如下圖所示，它就是一個簡單的交易程序。

```
If Event_X_Happened():
Send(You, 1000$)
Else:
    Send(Me, 1000$)
```

這樣一個語句的意思是，你我約定，如果事件 X 發生，則合約給你發送 1000 美元；否則，給我發送 1000 美元。這是最簡單的合約。

智能合約是部署在區塊鏈上的計算機程序——DAPP（分佈式應用）的基礎單元。DAPP 可以看作一組相互關聯的智能合約，它們共同促成高級功能的實現，就像大型 IT 系統是由多個子系統或模塊組成的，它們共同產生"整體大於部分之和"的效益。

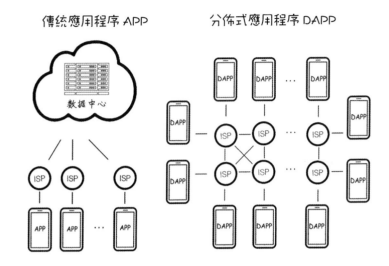

傳統應用程序 APP　　　　　分佈式應用程序 DAPP

　　DAPP 是通過在區塊鏈層部署一組智能合約，然後與這些智能合約進行交互而實現的，包括以下幾個方面。

　　①供應鏈跟蹤和交易解決方案，像 IBM 和沃爾瑪的試點。

　　②預測市場的平台，如 Augur。

　　③分佈式自治組織，如 The DAO。

　　④區塊鏈遊戲，如 Axie Infinity、以太貓。

　　⑤合約，如 Loot。

什麼是 NFT

NFT 是智能合約的一種，或者説是一種特殊的智能合約。NFT 全稱為 Non-Fungible Token，意思是非同質化代幣，是一種記錄在區塊鏈裏，不能被複製、更換、切分的，用於檢驗特定數字資產真實性或權利的唯一數據表示。

NFT 可以用來表徵某個資產。在區塊鏈上，可以將數字資產分為原生貨幣（Coin）、數字資產（Token）和數字通證（NFT）三大類。

原生貨幣中有代表性的是大家熟悉的比特幣、以太幣等，它們擁有自己的主鏈，使用鏈上的交易來維護賬本數據，它們是公鏈（Public chain）上的中間等價物。

數字資產依附於現有的區塊鏈，使用智能合約來進行賬本的記錄，如依附於以太坊而發佈的各類 Token，它們可以無限拆分。

數字通證則是在數字資產後面添加了一個合約 ID，這個 ID 是獨一無二且不可分割的。

Coin、Token、NFT 這三者將是元宇宙經濟運行的流動標態，Coin 代表的是元宇宙裏大家公認的交易貨幣，它應該是穩定的、彈性通脹的，它的發行和交易體系應該遵循更加智能的數學協議，如以太坊的 EIP-1559 燃燒機制。Token 則是股市裏的資產，它是不穩定且有投資風險的，但相對於現實世界裏的證券，它會變得更加透明。NFT 更像實物資產，它是獨一無二且不可分割的，但相對於現實世界，它的交易又是光滑的。

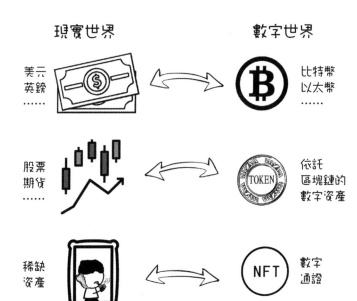

現實世界 ⟷ 數字世界

美元
英鎊
…… ⟷ 比特幣
以太幣
……

股票
期貨
…… ⟷ 依託
區塊鏈的
數字資產
TOKEN

稀缺
資產 ⟷ NFT 數字
通證

✦ NFT 的價值

2021 年 3 月，數字藝術作品 *Everydays: The First 5000 Days* 在佳士得拍賣行的首場 NFT 拍賣會上結標，得標者以 6934.6 萬美元的價格取得了該作品的"不可替代代幣"，即 NFT。

當前的 NFT 熱潮吸引了許多大公司加入，全球支付技術公司 VISA 在流行的 NFT 收藏品 *CryptoPunk 7610* 上花費了 150000 美元。社交媒體平台 TikTok（抖音短視頻國際版本）在其應用程序上推出了 NFT 系列，用戶可以在其中擁有獨特的歷史部分。在 NFT 提速的同時，許多市場持續進行激烈的競爭，希望成為用戶的首選平台。截至 2021 年 11 月，NFT 市場中以太坊的平台 OpenSea 的交易總額已達 100 億美元。

密碼資產採用非對稱密碼技術和分佈式共識機制，即"密碼共識"確權和流通的數字資產。與之前的密碼資產——密碼貨幣（比特幣、以太幣等）和密碼證券（ICO）不同，NFT 是非同質的、不可拆分的數字資產。

如果把比特幣看做可分割的黃金，NFT 就是油畫，每一幅都不同，原畫一旦分割就會失去價值。儘管在短期內會有泡沫，但在長期的密碼經濟中，NFT 會是資產存在的一種常見形式。

✦ 稀缺性

NFT 的價值在於它的稀缺性，稀缺是指相對於需求，藝術品可以給人帶來感官上的愉悅，但它總是有限的。古典經濟學大師早就意識到藝術品這類特殊商品的稀缺性，英國古典經濟學的代表人物大衛·李嘉圖（David Ricardo）在論及藝術品等具有稀缺性的商品時就曾指出，有些商品的價值是由其稀缺性所決定的，勞動不能增加它們的數量，因此其價值不能由於供給的增加而減少。屬於這一類的物品有稀有的雕像和繪畫、稀少的書籍和古幣，以及在特殊土壤裏栽培的葡萄所釀製的數量極其有限的葡萄酒等。它們的價值與最初生產時所需要的勞動量全然無關，而隨著願意擁有它們的那些人的財富狀況和偏好程度變化。

我可是唯一的

　　稀缺性，就是解開這些稀有商品定價和交易行為之謎的一把鑰匙。NFT 賦予每個對象一串獨一元二的代碼，這就讓虛擬世界中的資產有了稀缺性。

　　NFT 搭建了一套新的契約模式，給數字創意作品的所有權識別帶來了極大的便利。當然，NFT 也不僅僅局限於藝術市場，投資人買到的東西是什麼、有什麼價值，取決於 NFT 原本是什麼，以及 NFT 原本有什麼價值。

✦ 數字原生

　　然而，由於原子形式和比特形式注定是兩個不同的形式，所以現在的 NFT 市場存在一個天然的矛盾：大部分的 NFT 產品，它在物理上是獨一無二的，同時又想進入比特世界，而這兩種形式一旦綜合起來是相當複雜的。

從最底層的邏輯來講，所有原子形式的產品都不是真正意義上的 NFT，它有著天然不可更改的缺陷。所以，如果你燒掉了原來的畫作，即便你用相機拍下來，照片也只是一種數字模擬信號，而非原生性的數字作品。

這是什麼意思呢，就是你直接在數字化的空間裏進行創作，藝術品一出生就是比特，壓根兒就不需要考慮原子的問題。對這種數字化原生的藝術品來說，綁定 NFT、證明稀缺性乃至獨一無二性，才是最合理的。

原子作品需要轉化

數字作品
天然兼容

以 Loot 這個數字原生產品為例，每個 Loot 代表一個裝備包，共有 8000 個 NFT Loot 包，每個包都有一個編號，讓收藏家可以識別他們的 NFT。假設每個 Loot 都包含 8 個裝備，因此有 8 行字，每一行代表著一種裝備，分別為武器、胸甲、頭甲、腰甲、足甲、手甲、項鍊、戒指。

每一個 Loot 天生就是原生的，它的基因就是不可更改的比特信號，如果未來的"元宇宙"中的各種應用願意接受 Loot 這個智能合約，那麼即使進入任何一個元宇宙的產品之中，最終都可以形成一個自己的、超出任何產品的世界。

NFT 將會成為最新一代所有權數字化標誌方式，這對虛擬世界的交易將會產生難以預估的長遠影響。

數學契約論

元宇宙的底層邏輯，是一個從相信人性到相信數學的過程。

加密數學工具給人類的新文明帶來了可能性。

叢林時代的人類生活在一個個小部落、小集體中，這是一個血緣／熟人社會關係，他們面對陌生人的部落時，彼此充滿了敵意和恐懼，無法和陌生人建立信任關係，遇到爭議一般憑武力解決。人類只能在部落內的熟人之間才能享受合作與和平的幸福。

社會契約誕生以後，人類從叢林世界中走出來，逐步進入現代社會，現代文明就是和沒有感情的陌生人能共同遵守同一規則，按照價格信號和契約互相達成利益的分配，不必產生恐懼和敵意。文明人碰到陌生人，自有一套規則互相避免傷害，另有一套規則實現分工合作，這些契約必須通過文字記錄，這種契約精神也必須使用語言和文字向外傳播。如此一來，從 15 世紀大航海時代開始，人類藉助文字、法律實現了全球信息互通。

　　然而，人性總是有缺陷的，雖然有條文承諾，但不一定所有人都會按要求去執行。契約也是需要成本的，如紙張成本、公證人成本、監督成本、懲罰成本……然而無論付出多大成本，契約始終存在各種漏洞，沒有任何一套法律條文能夠涵蓋所有情況。鑽法律空子、找契約漏洞成了各種職業人套取利益的常態。國家之間發生違約就容易導致戰爭，這也是幾百年來發生數次全球性戰爭的因素之一，使得全球化發展屢遭挫折，甚至有部分人對全球化失去了信心。

我們在文字契約上付出了很大成本，身邊的違約和詐騙現象卻依舊層出不窮，國家之間的衝突也依舊此起彼伏。因此，建立新型的信任機制是必然趨勢，我們非常需要進入數學契約時代。數學契約仍然是契約，其功能仍然是在陌生人之間建立信任、執行合約。

　　但是，技術手段的改變使這種新型契約不同於紙質契約，它具有以下幾種特點。

- 紙張成本改變，只需要一套數學代碼，消耗電量和存儲空間。
- 公證人成本消失，不需要第三方公正，因為數學代碼就已很清楚明白。
- 監督成本消失，監督環節內置於程序之中，數學契約隨時跟蹤契約執行情況，一旦出現違規就會自動報警並阻止違規行為，有點像殺毒軟件對異常代碼的自動檢索。
- 法院成本大幅降低，違約官司變少，因為檢查一下雙方代碼運行情況就能辨別誰違約了。
- 懲罰成本也大大降低，不需要專門成立懲罰機構。

……

　　其中最重要的是，數字契約的監督過程是實時跟蹤的，數學契約自動檢測訂約人在訂約後的行為，每個人在元宇宙的任何行為都會被自己的數學契約智能監督，在違約的瞬間就會被警告或禁止，後續違約動作基本不可能再發生，任何人都沒有一點"鑽空子"的機會。

　　元宇宙不只是一個體驗世界,更是一個數學世界。數學將會打通元宇宙的體驗層和物理層,數學也可以消解人類在比特世界的不信任感。因此,數學才是元宇宙能夠運轉的動力,智能合約則是元宇宙世界治理的關鍵。

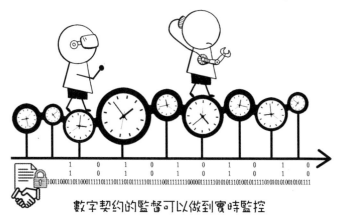

一個不需要相互猜忌的"坦誠"社會

數字契約的監督可以做到實時監控

　　一旦數學上的合法性建立起來,元宇宙世界的發展就不可阻擋。

　　18 世紀,盧梭寫下《社會契約論》後,叢林法則便失去了它的邏輯基礎。"社會契約"為現代文明的發展設立了指導原則,引領整個人類現代文明蓬勃發展。

　　到了今天,"社會契約"還在發揮它的餘熱,它用人性溫暖的一面約束人類暴力的一面,用人性之善約束人類之惡。但弊端也非常明顯，因為社會契約的主體執行者是人，但人本身就有弱點。就好比一場足球賽，如果參賽者、規則制定者和裁判都是同一人，那麼這場比賽就注定不可能公平。

"數學契約論"則是用數學來約束人性，用合約前置來約束人類的行為。程序、智能合約、算法、數字財富都是"數學契約論"的重要組成部分。藉由數學這種嚴謹外力來維持秩序，人更多時候被排除在執行者之外，互信的基礎將更加牢固。

根據社會發展的規律，我們可以猜想，到 21 世紀的後半葉，"數學契約論"將會漸漸超越甚至取代"社會契約論"，這一切將在元宇宙的世界裏得到實踐，這也是元宇宙的到來讓人激動的原因之一。

METAVERSE

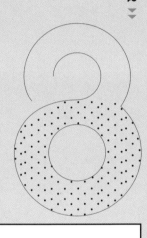

8

× ‒ +

世界模型：
從原子到比特

元宇宙需要宏架構，每個企業，甚至每個人都可以是創世者。

　　宏架構強調全局視野，在重視功能特性的同時又不忽略非功能屬性，如容錯、安全、性能、可維護性、可擴展性、可運維性等，隨著時間的推移、數據體量的陡增，這些功能特性將會不斷演化。

　　互聯網的架構是 TCP/IP 模型，包含了一系列構成互聯網基礎的網絡協議，這一系列協議組成了 TCP/IP 協議簇。基於 TCP/IP 的模型分為鏈路層（網絡接口）、網絡層、傳輸層和應用層。在這四層 TCP/IP 模型出現並廣泛應用之前，國際標準化組織定義了網絡協議的基本框架，這種基本框架被稱為 OSI 七層模型（開放系統互連參考模型）。

　　TCP/IP 模型與 OSI 模型各層的對照關係如圖所示。

應用層
表示層
會話層
傳輸層
網絡層
數據鏈路層
物理層

應用層
傳輸層
網絡層
網絡接口層

元宇宙作為一個既可以連接現實世界又能獨立發展的虛擬宇宙，在"去中心化"的協作模式下，最終也會形成自己的標準宏架構。

宏架構要解決如下問題。

- 從原子到比特的轉換（生產資料）。
- 數據流的交互控制（生產力）。
- 數據庫的智能分類（生產關係）。
- 經濟模型的穩定運行（所有權）。

元宇宙被稱為互聯網的下一站，在我們的設想中，元宇宙可以構建這樣一個七層的宏架構：自然層、物理層、交互層、數據層、協議層、合約層、應用層。

元宇宙的宏架構：從原子到比特

應用層

| 商城 | 遊戲 | 社交 | 健康 | 教育 | 出行 |

合約層

| 法律合約 | 金融合約 | 組合合約 | 預言機 |

協議層

| 超級公鏈 | 跨鏈 | 底層協議 | ERC-20 | ERC-721 |

數據層

| 公共數據 | 隱私數據 | 個人數據 | UGC 數據 |

| 安全數據 | 金融數據 |

交互層

遊戲引擎	腦機接口
光敏元件	生物電腦
物理 API	虹膜接口

物理層

5G/6G
雲算力
互聯

| 3D 攝像頭 | 全息捕捉器 |
| VR | AR |
| MR |

自然層

| 城市 | 企業 | 風 | 雨 | 雷 | 電 |

✦ 自然層：城市、企業及現實世界的自然環境數據

元宇宙的演化可以分為三個階段：數字孿生、數字原生、虛實共生。

第一個階段是數字孿生，又叫鏡像世界，這個階段主要是現實世界、物理世界的數字映射，原子物質轉化為比特信息。

第二個階段是數字原生，原生態的比特信息將在這個階段獲得大發展，這個階段運行的個體將具有天生的數字基因，這些新個體將與物理世界不再有任何關係。

第三個階段是虛實共生，在這個階段，數字原生品將反過來影響現實世界，比特以原子的形態在物理世界出現。

元宇宙建設的第一步，首先是從自然世界獲得基本生產資料，而這些基本的生產資料的來源，就是宏架構中的自然層。

現實世界是元宇宙最初生產資料的生產基地，其中最重要的兩個來源是城市的數字孿生和元宇宙企業數據。第一數據來源是城市的數字孿生，它是各維度的數據融合在一起；第二數據來源是企業的原始數據，它會主動與元宇宙進行連接。

當然，自然界的數據還有很多，如衛星掃描圖，山川河流的實時數據，風雨雷電的氣象資料，這些都是元宇宙最重要的生產資料。

自然層為元宇宙提供了最初的養分。

✦ 物理層：VR、AR、MR、3D 攝像頭、全息捕捉器等

物理層是元宇宙從自然界獲取資料的科技裝置，在元宇宙的

宏架構中，物理層是將原子信息轉化為比特信息的設備和容器。

物理層的主要設備包括 VR、AR、MR、3D 攝像頭、全息捕捉器等。

現階段，人們普遍認為元宇宙時代的物理支撐（硬件支撐）為 VR、AR、MR，它們分別是沉浸式虛擬現實、增強現實和混合現實，可以被統稱為 XR，也就是擴展現實。在科幻電影中，VR 和 AR 技術很常見。它們通過虛擬現實與視覺技術將想象情境反饋到人類的器官，提供更深層次的沉浸感。

那麼，XR 在物理層方面到底能做到什麼？VR 實現的是虛擬世界完全置換現實世界，AR 實現的是虛擬世界可疊加在現實世界，MR 實現的是現實環境與虛擬環境的相互混合。

✦ 交互層：遊戲引擎、腦機接口、光敏元件、生物電腦、物理 API、虹膜接口

交互層是現實世界與虛擬世界的出入口，也是將自然界的原子信息轉換為元宇宙的比特信息的轉換通道。交互層在元宇宙的"十一維框架"中屬於"物理沙盒"，它是軟硬件技術的交匯點，直接影響兩個世界的信息交互，是元宇宙建設非常關鍵的要素。

遊戲引擎、腦機接口、光敏元件、虹膜接口、生物電腦、物理 API 都是非常重要的交互路由。

在整個現實世界向虛擬世界（元宇宙）轉型的過程中，遊戲引擎起著至關重要的作用。遊戲引擎是一些已編寫好的可編輯電腦遊戲系統，或者一些交互式實時圖像應用程序的核心組件，它是遊戲所需的要素和工具的集合。遊戲引擎將會決定我們在元宇

宙中能否擁有更加真實的體驗。

腦機接口，它可能是人機交互的終極技術，腦機接口使得大腦和計算機能夠直接進行交互，因此又被稱為意識－機器交互、神經直連。

除了腦機接口之外，還需要光敏元件，通過它可以控制單個或成組的神經元，進行神經信號的讀取和寫入。

腦機接口：
物理人的终極人機交互界面

虹膜接口主要解決的是元宇宙交互難題，尤其是眼動跟蹤。眼動跟蹤的原理其實很簡單，就是使用攝像頭捕捉人眼或臉部的圖像，然後用算法實現人臉和人眼的檢測、定位與跟蹤，從而估算用戶的視線變化。

現實世界和虛擬世界的相互連接，一定還有很多的物理 API 接口，交互層將直接影響兩個世界的數據流通。

✦ 數據層：公共數據、隱私數據、個人數據、UGC 數據、安全數據、金融數據等

現實社會的基建材料是鋼筋混凝土，與之對應的，元宇宙的基建材料是數據。數據的疊加、堆積及組合，將會構成元宇宙這一多姿多彩的世界。

數據層正如其名，由各種數據構成，如公共數據、隱私數據、個人數據、UGC 數據、安全數據、金融數據等。

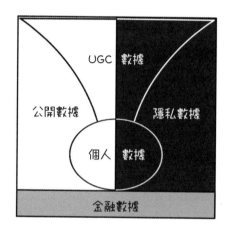

- 公共數據：公共數據屬於元宇宙的共有資源，可以理解為是所有人皆可查看和使用的數據資源。元宇宙本身便是基於開源的分佈式技術中的公共數據的開放性，來規避中心化平台的壟斷。這些公共數據是開源的，是屬於元宇宙中所有人的。有哪些數據是公共數據呢？如元宇宙的城市信息、慈善信息、公共教育信息等，都屬於公共數據。

- 隱私數據：隱私數據屬於元宇宙的非公開數據，在元宇宙中，隱私數據能夠被很好地保護。基於區塊鏈的去中心化

機制，隱私數據只有權利主體才可以選擇公開或者不公開。

- 個人數據：個人數據是指與個人相關的數據，個人數據一部分屬於公開數據，一部分則屬於隱私數據。公開的個人數據可以在元宇宙中查找到，是你向他人展示的信息。非公開的個人數據屬於你的隱私數據。個人數據歸個人所有，平台如果需要使用則必須支付費用。

- 安全數據：安全數據屬於元宇宙中保護數字世界不被攻擊、穩定運行的基礎性數據，一旦被確認，很難被篡改。私鑰加密、價值傳遞、個人隱私這些數據都屬於"安全數據"，安全數據不由個人或單個中心節點決定，而是由加密算法或者組成元宇宙的多節點通過共識算法共同確認。安全數據：安全數據屬於元宇宙中保護數字世界不被攻擊、穩定運行的基礎性數據，一旦被確認，很難被篡改。私鑰加密、價值傳遞、個人隱私這些數據都屬於"安全數據"，安全數據不由個人或單個中心節點決定，而是由加密算法或者組成元宇宙的多節點通過共識算法共同確認。

- UGC 數據：UGC（用戶原創內容）數據是元宇宙用戶生產原創內容所產生的數據，它是元宇宙不斷更新和擴展的基礎，也是元宇宙中重要的內容支撐。元宇宙本身就是一個龐大的 UGC 平台，這些被用戶創造出來的 UGC 數據，是屬於創造者的數據，NFT 是 UGC 數據的一種，可以在元宇宙中進行流轉和交易。

- 金融數據：金融數據是與元宇宙經濟體系相關的數據，包括 NFT、虛擬貨幣、交易、虛擬世界與現實世界交匯產生的金融數據等。它既包括個體的財產資源，如個人的 NFT 虛擬資產，也涵蓋了整個元宇宙經濟體系下的交易數據。

以上只是一些數據的簡單分類，事實上，元宇宙中的數據層會有更多各式各樣的數據。

✦ 協議層：超級公鏈、跨鏈、底層協議、ERC-20、ERC-721

在網絡世界中，協議是計算機雙方必須共同遵從的一組約定，如怎樣建立連接，怎樣互相識別等。只有遵守共同的約定，計算機之間才能進行交流。

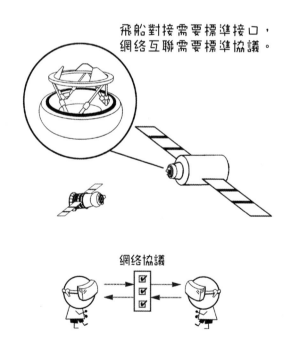

飛船對接需要標準接口，
網絡互聯需要標準協議。

網絡協議

約定這個規則在元宇宙中同樣適用，元宇宙同樣需要一系列的協議來支撐整個世界的運行，保證元宇宙的統一和公平。

在元宇宙的宏觀構架中，我們用以下幾個關鍵詞來理解協議：超級公鏈、跨鏈（Cross-Chain）、底層協議、ERC-20、ERC-721。

- 超級公鏈：元宇宙需要超級公鏈作為主鏈，用以記錄信息，所有人都可以在公鏈上讀取交易、發送交易，且交易能獲得有效確認，也可以一起參加構建共識算法或者共同規則。通過這條超級公鏈，可以延伸出無數多條支鏈，它們將代表教育、生活、醫療、遊戲、慈善、職業……目前來看，這條超級公鏈很有可能是以太坊，但由於以太坊目前仍存在很多問題，它有成為超級公鏈的潛質，但首先需要解決本身存在的一些缺陷。

- 跨鏈：在超級公鏈下有無數支鏈，這些支鏈都是獨立的，原則上兩條獨立鏈上的價值沒有辦法轉移，但在元宇宙中有一個重要要求，即資產的歸屬和價值可以無障礙流動並得到廣泛確認，因此，它們必須是互聯互通的，這就需要用到跨鏈技術，即用戶在一條區塊鏈存儲的價值，能變成另一條鏈上的價值，從而實現價值的流通。

- ERC-20 是以太坊公鏈下發行同質化代幣的協議，它的 Token 是可以進行交易置換的。這些同質化代幣有一個特徵，即可以與其他基於相同協議的代幣交換。同時，它們具有可分割性，可以細分到 10^{18} 份。

- ERC-721 則屬於非同質化代幣協議，在 ERC-721 協議下，非同質化代幣，也就是 NFT，是不可分割的，只能使用一整個代幣，而無法將其拆分成更小的單位去使用。

協議層與物理層和交互層不同，它並非直接體現在硬件層面，在元宇宙中也不會直接被終端用戶所感知。不過，它和互聯網背後的 TCP/IP 協議是一樣的，支撐著整個元宇宙的運行。

底層協議：越是底層協議，越靠近物理硬件，越是底層協議，影響的層級越多。在元宇宙中，底層協議既涵蓋了互聯網在互聯和信息技術上的底層設定，也包括了區塊鏈技術形成的去中心化底層邏輯。它包含以下內容：通信交互、價值傳遞、數據記錄、數據傳播、數據存儲等。底層協議是協議層的基礎，同時也是元宇宙的運行基石。即底層協議是元宇宙底層的軟體部分，也是比特世界的基礎協議。

✦ 合約層：法律合約、金融合約、組合合約、預言機

元宇宙中的合約，都需要被寫入計算機可執行的代碼中，只要參與者達成協定，合約建立的權利和義務的相關內容程序，就會由一台計算機或者計算機網絡執行。

合約是協議之上的應用，元宇宙世界會存在無數的合約，我們能看到的最主要的合約有法律合約、金融合約、組合合約和預言機等。

- 法律合約：在元宇宙的世界中，法律由智能合約寫定，並

且由代碼執行。元宇宙的法律合約中寫入了元宇宙中所有需要遵守的法律行為，當某個人的行為違反法律合約時，元宇宙會自動根據合約的內容對這個人進行懲罰。在元宇宙中，代碼即法律。

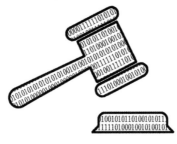

元宇宙中，代碼即法律

- 金融合約：現實世界的金融契約在元宇宙中也被智能合約所取代。在傳統世界的金融契約中，支付和清算過程非常煩瑣，耗費時間長，手續費高，可獲取性低，且權力和資金集中在傳統金融機構中。而去中心化金融（DeFi）提供一系列去中心化的金融應用，未來可以更廣泛推廣。

- 組合合約：組合合約可以依靠 DeFi 與 NFT 來實現。NFT 作為非同質化通證，它可以是價值的載體；而 DeFi 協議則被比作樂高積木，系統允許這些協議和應用程序相互連接。當 NFT 和 DeFi 被組合起來時，它們可以創建全新的組合合約，整合、分解或重構不同的數字證券和智能協議，以此來實現合約的複合性。

- 預言機（Oracle Machine）：預言機並不是一個預測的工

具，實際上它是一個將數據從系統外傳輸到系統內的工具，或者説，是一個將數據從區塊鏈外傳到區塊鏈內的工具。作為鏈下數據與鏈上數據的傳導機制，預言機將現實世界的數據準確無誤地寫入區塊鏈，寫進元宇宙，保障元宇宙數據的真實性。可以説，它是實現智能合約的基礎，也是元宇宙合約層的基礎。

✦ 應用層：商城、遊戲、社交、健康、教育、出行……

在元宇宙中，前面的自然層、物理層、交互層、數據層、協議層、合約層都是為應用層服務的。在這一層中，有各種各樣的應用，用於進行數字化生存和數字化生產，應用層大致可以分為商城（消費）、遊戲、社交、健康、教育、出行等。

- 商城，或者説消費購物，也會是元宇宙的應用之一。在新冠疫情期間，人們已經習慣網絡購物，網絡購物可以滿足物質和精神上的雙重需要。元宇宙將構建沉浸式的數字孿生電商，用戶可以利用虛擬的數字身份，獲得更好的購物和消費體驗。
- 遊戲是元宇宙的重要呈現方式，作為目前元宇宙的先發領域，進入遊戲後，我們能體會 VR 帶來的高沉浸感和 UGC 遊戲的創造力，現在已有部分遊戲已體現出基本的元宇宙底層邏輯和虛擬體驗，如《我的世界》等。
- 社交和遊戲一樣，同屬於人類數字化生存的起點。得益於元宇宙中新身份的高沉浸感，元宇宙使用戶群體間形成了一個個穩定的社區。而 VR 技術的發展，可能會帶來一次新的社交革命。

- 健康方面，在元宇宙中，你可以不分天氣、不需要場地地利用碎片化時間來運動健身。在線機器人教練可以通過體感設備和監測指標指導你的動作，根據每個人身體情況進行數字化指導。

- 教育方面，元宇宙可以打造數字孿生課堂，能夠讓用戶在家中也能獲得和在學校上課一樣的感覺，元宇宙和教育之間具有天然的平行性和可覆蓋性，有助於實現教育公平，提高教育質量。

- 出行方面，元宇宙將為用戶提供足不出戶就能周遊世界的虛擬場景服務。普通人可能一生都沒辦法登上珠穆朗瑪峰，但在元宇宙中，你可以通過 VR 設備，與他人結伴登上峰頂，體驗一覽眾山小的感覺。在元宇宙中，你可以與蝙蝠俠一起攀爬東方明珠，在迪士尼童話世界裏舉辦生日宴會，到拉斯維加斯發泄壓力，這些都可以在一天之內做到，而你甚至不需要跨出自己的房間一步。如果願意，你還可以駕駛飛船，去真實的外太空探險……

元宇宙的應用無窮無盡，在現實世界能做到的事情，在元宇宙一定能做到，而某些我們在現實世界無法做到的事情，在元宇宙中也可以做到。

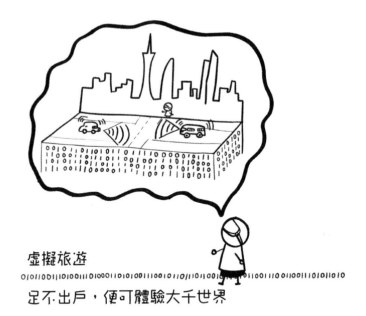

虛擬旅遊

0/0110011010010100010101001100101101110010010010011001100110011010101010

足不出戶，便可體驗大千世界

　　元宇宙的整個宏觀架構，從底層到頂層，每一層都有存在的必要。元宇宙的最上層應用，會從遊戲、社交等領域逐步向其他領域擴散，直至虛擬空間最終都能夠與現實世界的生產製造、衣食住行等建立完美的映射和連接。

　　頂層應用適用領域逐步擴張的過程，也是元宇宙技術中物理層、交互層、數據層、協議層、合約層高速發展的過程。隨著相應的硬件、軟件、資源、技術等不斷進步和迭代融合，元宇宙的宏觀架構會慢慢演變，最終構建出一個無限趨近於完美的數字世界。

　　更值得期待的是，元宇宙宏架構的建設，我們每一位用戶都可以參與，元宇宙就是人類的再創世界。

METAVERSE

9

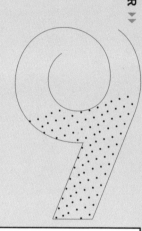

一個萬億美元
的機會

在我們的現實世界中，用數字再造一個人類世界，這聽起來像天方夜譚，但對元宇宙來說，這卻是可以望見的真實。

元宇宙遠遠不只是 VR/AR 和全真互聯網，更是不久將來人類的全新的生活方式。如果說互聯網只是延伸了人的精神世界，那麼元宇宙就是實現了將用戶整個人完全納入另一時空，甚至有可能塑造出一個新物種，它將無限提升人在這個新時空中的體驗，擴展人的創造力、想象力，現實世界也將會一步步地鏡像、遷徙到虛擬世界中。

新大陸與元世界

發現新大陸

哥倫布的遠航是大航海時代的開端，對現代西方世界的歷史發展有著不可估量的作用。新航路的開闢，改變了世界歷史的進程。

新航路的開闢使世界各地日益連成一個整體，經貿活動開始繁榮，促進了文藝複興的發展和資本主義的萌芽。經歷了這些變革，西方逐步走出了中世紀的黑暗，開始以不可阻擋之勢崛起於世界。一種全新的工業文明成為世界的主流，現代文明開始迅速普及。

元宇宙同樣是一個新大陸，而且這個新大陸是由人類自己創造出來的。

✦ 文明冷啟動

人類自誕生以來，前期的成長是艱澀而緩慢的。從茹毛飲血到刀耕火種，從漁獵採集到穩定的勞動耕作，人類最初的成長時光蒙昧又漫長。然而，兩百年來偶然的幾次冷啟動，造就了現代文明的迅猛發展。

　　18 世紀，英國人瓦特改良了蒸汽機，使社會從手工勞動向動力機械生產轉變。

　　19 世紀，電力的大規模應用推進了文明的躍進。

　　20 世紀，計算機和電子數據的普及與推廣造就了第三次工業革命，即信息技術革命，信息技術革命徹底改變了人類社會的運作模式。以後來誕生的蘋果、微軟為代表的科技公司掀起了互聯網時代的大幕，至今仍在影響著我們生活的方方面面，信息技術革命堪稱對人類社會影響最為深遠的技術革命。

互聯網從 20 世紀 80 年代發展至今，已經走過了三十多年的歷史。今後又將會有什麼樣的技術來推動人類的發展呢？元宇宙很有可能是其中一種選擇，它與互聯網有些相似，並非某一個技術天才的推動，而是各種技術發展到一定階段後的融合結晶。

發現元世界

區塊鏈是自由主義極客的理想試驗，同時工程師極客使用 VR/AR 的技術建立了一個"理想國"，將這兩者結合起來的元宇宙是一塊真正的新大陸，只要擺脫舊有的"田園思維"，願意接觸一個"去中心化"的世界，那麼任何人都可以在這片土地上組建自己的"城邦"。儘管最開始這片土地上只有部分程序員構建的自己的智能合約，但在不久的將來，會有很多"探險者"來這個世界"淘金"，最終建立起一個融合物理大陸的"元世界"。

元經濟學

元宇宙中的經濟學是一個全新領域，能夠從邏輯上自圓其說的都是"元經濟學"。例如，像《貨幣的非國家化》（*The Denationalisation of Money*）中的內容，很可能會被納入"元宇宙經濟學體系"。

除此之外，人即貨幣、共享主義、信仰即財富等也將是"元經濟學"要參考的概念。

- 人即貨幣：每個人都有自己映射的 Token，這些 Token 可以量化自己的價值。
- 共享主義：同一社區的用戶將可以分享社區所創造的價值，有天然的共同富裕的特色。
- 信仰即財富：信仰和財富是不分離的，你所認可的宗教和財富可以合二為一。

在這裏，我們具體談一下"人即貨幣"理論。

如果人類文明最有用的數據在鏈上運轉，那麼，虛擬和現實界限必將模糊，人與貨幣漸漸融合。到那個時候，人從出生起就是天生的點對點的信任機器，人即貨幣，人本身就成了衡量一切的價值標準。

一個人出生的時間，就是自己錢包創世塊產生的時間。個人貨幣 Token 將會成為社會運行的基本單位，人與人之間自由交換價值，無須第三方背書，去中心化的交易所會給出一個標準的兌換價格。所有個人貨幣的價值，都是基於人和人、人和機器、機器和機器之間形成的共識，通過算法予以確認。

金融的根基
來自對法幣的信任。

如果在技術加持下，
信任來源於人的本身，
那麼人就是天生的 "貨幣"。

一個人所代表的價值被直接以貨幣的形式體現，這是信用社會建立的基礎。每個人從出生到死亡的一生數據的確權，使得這樣的數據極有價值，我們的數據能成為我們的信用背書，在此我們可以嘗試著提出"人即貨幣"三大基本定律。

- 第一定律：每個人都有發行貨幣的自由。就像每個人擁有勞動的自由一樣，任何人都有發行自己貨幣的權利，每一個人都可以用自己的信用做背書發行貨幣 Token，來募集生產資料，實現自己的想法。
- 第二定律：個人價值 = 個人幣值。人最重要的信息都在區塊鏈上得到體現，幣值直接對應著個人價值，幣值隨市場的行情波動，個人行為直接影響幣值行情，要了解一個人當前的社會價值，看他的幣值就夠了。未來經濟基本單位不再是"公司"，而是"個人"。股票不再是公司的交易，而是人的交易。
- 第三定律：人幣同在。人即貨幣，貨幣即人，這兩者不可分離，兩者互為鏡像，一個是現實世界行走的碳基生命，一個是在區塊鏈上奔波的矽基靈魂。人死幣沒，幣歿人亡。

人即貨幣可能是元宇宙的基石，是高版本的共識時代，這樣的社會將最大限度讓人類達成協作，通過自律來換取更大的自由和信用，讓自發行的貨幣更有價值。

你的一生，其實就是數字貨幣的一生，你一生的價值都凝結在屬於自己的 Token 上，從出生到死亡，你全部的軌跡都被記錄在區塊鏈上，所有的信息都一目了然。實體的你與區塊鏈上的你，將互相映射。

利益共同體

元宇宙將給科技產業提供一個新航向，經濟上的共同目標將會造就巨大財富，無數的企業將會組合成不同的產業鏈，在良性競爭中最終形成一個元宇宙"利益共同體"。

真正意義上的元宇宙需要更多的技術進步和產業聚合，可能要 20 年或更長時間才有可能實現。不過，時間越長積累的想象力越豐富。伴隨物理世界的數字化遷徙，虛擬世界或將成為理想中的"元宇宙"，承載更多想象力和創造力。

目前，元宇宙的最大好處在於它會成為技術"核晶"，所有技術將以它為中心點進行連接，邊緣計算、雲計算、能源裝置、應用軟件、區塊鏈、虛擬引擎、XR 技術、數字孿生、人工智能等技術創新將逐漸聚合。

以上的任何一項技術，都可能催生一個千億美元級別以上的產業。

與此同時，基於以上技術的應用也會提前進行產業佈局，包括遊戲平台、數字孿生城市、產業元宇宙、科幻文娛等。這些產業，也都將創造千億美元級別以上的財富。

公鏈和智能合約是元宇宙的起點，遊戲和社交則是元宇宙的財富核心，互聯網已經發展到了一定階段，更多的巨頭企業將會轉向"元宇宙"。在不久的將來，英偉達、特斯拉、騰訊、字節跳動、米哈遊、Meta、蘋果、微軟、亞馬遜、谷歌、阿里巴巴、百度、小米等公司都將會迅速行動起來。到那時，元宇宙中的經濟活動將初具雛形。

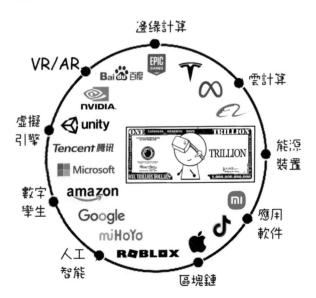

- 數字活動：愛莉安娜‧格蘭德（Ariana Grande）的《堡壘之夜》音樂會，虛擬演出收入估計為 2000 萬美元。全球虛擬事件市場總值估計為 940 億美元，這些收入由內容創作者和舉辦方（虛擬數字平台）等利益群體共同分配。

- 硬件：指虛擬現實和增強現實耳機、圖形芯片和全方位跑步機等高科技硬件，到 2024 年，硬件市場有望從 2021 年的 310 億美元增長到 2970 億美元。僅從 VR 技術來看，它的市場價值可能超過 1000 億美元。
- 金融服務：隨著交易轉向元宇宙，新的服務將會出現，如

虛擬商品的保管。金融科技公司，尤其是那些專注於數字領域的金融科技公司，可以在促進這些交易和確保合法所有權方面發揮關鍵作用。

更多的產業形態，可以從一些科幻體裁的文學作品或影視劇裏感知和思考。人類走向"元宇宙"是不可逆轉的"時間之箭"，遊戲和區塊鏈僅是數字化生存的起點，一個萬億美金的"美好世界"才剛剛拉開帷幕。

 # "魔法" 變現

隨著元宇宙的開啟，人類的想象將變成現實，好像魔法變現一樣。

在元宇宙的世界中，所有的敘事都可以變成創造力經濟，想象力最終都會落地成為恢宏文明，所有的想象也將會成為數字財富。

在元宇宙世界，內容產業和創意經濟最終會成為最大的產業。

在現實世界，我們將創意變成產品是一個從比特變成原子的過程；而在元宇宙裏，產品的生產過程有兩種可能：從比特變成原子，或者從比特變成比特。

其中，從比特變成比特將創造最大產能，大腦的意識是量子信息流，隨著神經科學、信號檢測、信號處理、模式識別等多學科的交叉技術的發展，意識將在虛擬世界直接被轉化為實物。也就是說，你甚至可以利用夢境來創造世界，如果大多數人進入了元宇宙，那這幾乎就是一個"魔法時代"。

另一個生產過程是從比特到原子，這個過程的創造效率也會比現實中提升很多，因為大腦信息首先會在虛擬世界中得到校驗，被模擬過的比特信息將會變得更精密、更準確，隨著 3D 打印、精密製造、柔性生產、數字控制等技術的成熟，元宇宙中的創意（大腦意識）將直接被發送到創造模塊（原子製造）中被生產出來。

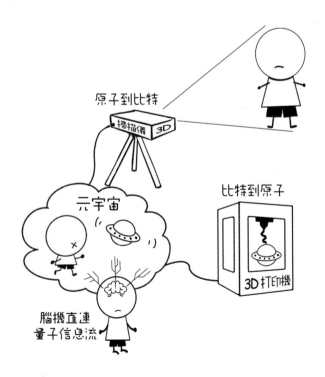

創意和想象力，將是這個元宇宙的最大財富。

只要你滿意自己的創意，就可以花費算力將它"鏡像"出來；只要你的創意足夠新穎，無數的產品製造者會將其生產出來；只要你的世界設定符合邏輯，就有無數的智能合約來幫你將它變成現實。

這就是最理想的元宇宙，它是神話時代的理性回歸，也是人類魔法的科技實現。

 ## 元稀缺

元稀缺是元宇宙形成之後，在元宇宙中形成的經濟形態。

林登實驗室發佈的《第二人生》遊戲參考了現實世界，將首選的稀缺資源設定為土地，不過這是遊戲發佈者設計的一種制度，每個用戶需要向林登實驗室租賃土地、建造房子，因此，這裏的土地是制度造成的稀缺。值得注意的是，在開放的元宇宙中，如果制度不為所有人接受，它的稀缺就未必能夠成立。

數字化虛擬物本質上就是數據，而互聯網賴以存在的信息傳輸和信息處理體系中，數據複製是基礎。盜版音樂內容是數字版權的一個重災區，也正是在這個領域發展出來的數字版權管理技術（簡稱 DRM），試圖在內容之中增加隱藏的權益信息，即數字水印。但實際上，我們可以用《黑客帝國》中架構師的話形容 DRM：它的開創性與它的失敗一樣偉大。

而區塊鏈實際上是一種加強版的 DRM，它試圖將數字藝術品綁定在一個數字算法所鎖定的"稀缺性"之上。

元宇宙可能會真正創造出內容創造和內容使用中的"稀缺性"保護機制，因為它將所有行為都關聯到使用者的數字身份之上。無論是使用低保真度的傳統設備，還是使用高保真度的虛擬三維設備，在內容創造和內容使用兩個方面，都確保了用戶在虛擬世界和真實世界中留有不可抹除的痕跡，從而為不同平台的互聯互通和權益結算提供依據。

也就是說，在一家元宇宙平台中購買的某種品牌的衣服，在另一家元宇宙平台中同樣可以使用。請注意，我們談論的不僅僅是虛擬物品（衣服）的互通，更是它承載的設計、繪製、創意所包含的權益的互通，從而得以在這些權益之上分配真正的稀缺之物。

實際上，任何虛實結合的經濟體系中，用於分配的稀缺之物，其本質可能都是使用者的注意力。越是能吸引用戶的注意力，提高用戶參與時間，物品的價值就越高；越是不能吸引用戶注意力，或用戶參與時間短，其價值就越低。參與者的注意力管理極可能是元宇宙經濟中競爭者們爭奪的焦點。

如果少數空間中集中了大量的使用者活動，如虛擬演唱會，則這個空間的價值也就越高。空間的稀缺性可能會在局部熱點內容或場景下成立，這與現實世界也高度相似。

同時，元宇宙對於現實算力資源的強大需求，也有可能讓資源的爭奪從虛擬世界跳回現實世界，即誰可以擁有更多的服務器戰略佈局，誰可以擁有更強大的算力池；誰能夠掌握更高效的人工智能技術，誰就有可能在元宇宙發展中獲得優勢，而這些資源在現實社會中亦是稀缺的。

無論是什麼樣的生活形態，資源總是稀缺的，而且虛擬的繁榮反而有可能加強實物的稀缺，這可能就是另一個有趣的話題了。這也更說明了元宇宙經濟不是為所欲為的烏托邦，而只是另一種生活形態罷了。

互聯網剛剛出現時，人們很難想象它會給人類帶來什麼，更想象不到它會有如此巨大的創富能力。

今天最具國際競爭力的世界級企業，如蘋果、谷歌、微軟、亞馬遜等都與互聯網息息相關，這些企業主導著計算機、通信和互聯網的發展潮流，甚至在硬件領域，其強大的半導體、微處理器、計算機和通信設備等同樣讓人敬畏。

元宇宙帶來的改變一定會超過互聯網，如果說互聯網只是人類五感的延伸，那麼元宇宙帶來的就是文明的整體躍遷。

元宇宙帶來的新經濟，將會是一個萬億美元的市場 —— 甚至這只是一種極其保守的估計。

METAVERSE

10

x − +

2140：
元宇宙的一天

2140 年 12 月 4 日 10 時 24 分

"嘭！"

該死，肯定是隔壁熊孩子又在鏡像世界（虛擬世界）裏扔石頭了。

8 歲的小屁孩不應該在物理世界（現實世界）好好讀書嗎？家長又是怎麼回事？不應該控制一下孩子的"上鏡"時間嗎？

我雖然現在待在鏡像世界，但我選擇的可是"混合模式"，虛擬世界遭到的破壞會複刻到現實中，也就是説，熊孩子真的會砸碎我在現實世界的家中的玻璃！

攤上這樣一個鄰居真是倒霉！

萬幸，根據元宇宙中的智能合約，半小時後我的賬戶就能收到小屁孩父母打來的賠償款。可能這個小屁孩還沒有接受這樣的教育，即不要在虛擬世界肆意妄為。

不過，元宇宙世界最大的好處應該還是"自動賠償"，畢竟像我這麼懶散的人，才不會和鄰居吵架呢。

鬧鐘響了。

我取下身上穿的 VR 套裝，伸了個大大的懶腰。我看到熟悉的房間、熟悉的窗台和熟悉的日出，與鏡像世界並無二致，但一股強烈的負罪感卻油然而生。

儘管我總強調，我是為了工作才長時間待在鏡像世界，但那只不過是給自己找個借口，實際上我的工作完全可以在物理世界完成。

還是承認自己懶散吧，我確實已經迷戀上了"半數人"的生存方式。

"唉！"我長長歎了口氣。

不過，雖然我沒有"物理人"那樣自律，堅持生活在物理世界，但總比用"腦機接口"完全接入鏡像世界的"數字人"要強一些，那些人可是待在鏡像世界裏永不退出的，隔壁鄰居很有可能就是這種人，我有點同情那個熊孩子了。

鬧鐘再次響起。

今天是休息日，我決定出門走走，作為博物館的考古人員，我應該去爬爬附近的無名山，最近那裏發現了顧愷之的墓。在此之前，誰也沒想到，這位東晉大畫家的墳塚竟然就在我們身邊。

最近館裏一直在考證、記錄、復原顧愷之墓中發掘出的文物，這可不是一個簡單的事情，單說那幾幅畫，每張都價值連城。

在 2130 年以前，考古工作幾乎都是要去現場考察的，但到了今天，現場只要一台 3D 紅外集成 AI 設備就夠了，它能在一個小時內完成數據的掃瞄和採集，而後續的數據整理分析工作，則幾乎全部是在元宇宙中進行。

我走到陽台前，不出所料，玻璃果然碎了一地。我花了十幾分鐘才把玻璃收拾完。

洗漱好後，我看了一眼天氣預報。

今天要颳颱風，大概率會影響到我們這個城市。

還要去爬無名山嗎？我有點糾結了。

恰好此時 VR 設備的紅點亮了起來，鏡像世界有人在呼喚我。

"你好，親愛的館長在呼叫你。"

今天不是休息日嗎？去你的"親愛的"。

但是館長在孜孜不倦地催我上線，再遲到我就要被扣 Token 了。

我重新戴上 VR 設備，進入元宇宙。

"是否繼續選擇'混合'模式？"我的 AI 助手詢問我。

我點擊了"下次不再提醒"，選擇了"是"。

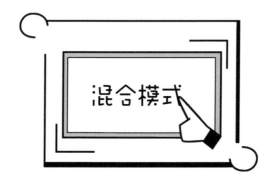

從我所在的物理位置到博物館所在地，鏡像世界會模擬一段現實路程，因此"路上"有一點點時間供人遐想，就在這個間隙，AI 助手提醒我："今天受颱風影響，你所在的城市可能會有大雨，系統檢測到您在物理世界還有衣服晾在陽台，為保險起見，建議您先收拾衣服再出發。"

"混合模式"下的物理世界一旦有什麼自然災害，會立刻對鏡像世界造成影響。曾經我覺得這很酷，但很快我就發現，在虛擬世界出門也要關注天氣這件事，真的很麻煩。

不過虛擬世界到底還是比現實世界方便，我不用真返回現實世界的家裏，在鏡像世界裏只需用"一鍵收衣"功能就好。

2140 年 12 月 4 日 10 時 42 分

館長見到我後，激動得像是見到了失蹤多年的兒子。

"你總算來了，有個瘋子，有個瘋子，有個瘋子……"

我讓館長安靜下來，了解了事情的來龍去脈。

原來是有個收藏家收藏了顧愷之的《畫雲台山記 2》，一直認為那是無價的真跡，它的 NFT 已經被炒到一千個以太幣。

　　但在這次發現的顧愷之的墓裏，原畫已經被找到，於是那個收藏家擁有版權的 NFT 價格下跌了 90%。

　　收藏家很生氣。他不僅在鏡像世界裏和館長吵得不可開交，還直接在物理世界準備組織人打砸博物館，理由是這次的考古工作缺乏科學依據，所有的數據都不透明，博物館根本就沒有辦法證明這是顧愷之的墓，更沒有能力驗證這次挖掘出的《畫雲台山記 2》是否是真品。

雖然我的職位沒有館長高，但在專業領域的影響力不小。這次《畫雲台山記2》的考古，我是最後的專業三校，前面的一校和二校已經由其他同行驗證過了，一旦我簽名，那麼《畫雲台山記2》是真品還是贗品就蓋棺定論了。

　　"一旦多重簽名通過，這個瘋子應該就會死心了。"館長說。

　　我進入了博物館的信息數據中心庫，開始對考古機器人處理完成的數字化掃描信息進行最後的考察。

　　與現實世界相比，虛擬世界的考古有很多好處，你不需要深入危險的境地，所有信息都會一一呈現在你眼前。經過三維建模後，你可以任意放大或縮小這些模型，如果你需要用到相應的資料來進行信息對比，也只要伸手一點即可。

　　考察工作緊鑼密鼓地進行著，信息處理的過程並沒有遇到太多麻煩，唯一有點煩人的是，我老爸連著打了幾個電話給我，說

他在元宇宙裏的另一個身份不見了，讓我幫忙找找。

我老爸總是丟三落四的，等結束今天的考古工作，再去他那邊看看吧。

數據對比和信息校正早就完成了，最後的程序是通過大數據平台把墓主人的信息與顧愷之當代親屬 DNA 圖譜進行相連，以確定墓主人的身份。

數據對比結果出來了，基本可以認定這幅山水畫是顧愷之的真跡。我在這幅山水畫的數據信息上蓋了認證戳，上傳到信息數據中心庫。

最後，我對所有的文物——進行了登記註冊處理，現實世界的文物也會同步分類放置。

2140 年 12 月 4 日 12 時 4 分

完成考古工作後，我走出了信息數據中心庫。

這座古墓的文物早已被精細建模，此時已經可以供大家參觀了。同時，挖掘新聞和主題元宇宙試用包也已經鋪天蓋地地推送到元宇宙的各個角落。

就在我要走出信息數據中心庫大門時，突然被一個陌生人攔了下來。我不認識來人，但他的臉上帶著憤怒、悲痛、哀求⋯⋯我疑惑地看著他，剛要開口詢問時，他拿出了一幅畫——《畫雲台山記 2》。

我明白了，館長口中的"瘋子"說的一定就是他了。

那幅畫跟我剛才在信息數據中心庫處理的文物畫幾乎一樣，

臨摹得太真實了，難怪能製成 NFT 進行拍賣，還被哄抬到很高的價格。

"麻煩你撤回對那幅文物畫的認證戳。"這人的語氣非常兇。

我當然知道，當那幅文物畫的認證戳生效後，會立即生成與那幅文物畫唯一匹配的 NFT。這代表著我眼前這個人手中的 NFT 將變得一文不值。但我也只能表示很抱歉，我不能做這樣的事情。

"如果你願意這麼做，我會給你好處的，我們可以平分這幅畫的價值。"他說。

我再次表達了自己的歉意，申明一個考古人的職業操守。我知道他肯定是花了大價錢從別人手裏買來的這個 NFT，但我確實是無能為力。

他暴怒地向我的左臉打來。我反應慢了些，拳頭重重打到我臉上，接著就看到他跑向信息數據中心庫，應該是想去把那幅真跡毀掉。

但這是不可能的事情。

就在他要衝到門口時，他的影像突然停住了，應該是他在物理世界被警察控制住了。

我長舒一口氣，不過"混合"模式下的觸感也太真實了，我的左臉像是實實在在捱了一拳，真疼。

2140 年 12 月 4 日 12 時 40 分

　　時間不早了，我在物理世界的身體需要補充一下能量，我回到物理世界中，來到城市 B612 區的一間茶餐廳，向服務員要了一顆熟雞蛋，在我的左邊臉頰處來回揉動。

　　我坐在靠窗邊，對面的大樓就是全深圳最豪華的酒店，據說那裏有歷史課本裏提到的和牛大餐和拉菲葡萄酒。想到這裏，我嚥了嚥口水，看了看眼前的腸粉，心想，算了，知足常樂吧。

　　正當我要動筷子時，懸窗突然彈出一則廣告，並以環繞聲在我耳邊播放："現在是午餐廣告時間，請看今日特惠商品：腦機接口全套設備。商品零首付，月供每月只要 100 個鏡像 Token。"一個漂亮的女孩介紹道。

我對腦機接口沒有興趣，點擊了懸窗上的"關閉廣告"。

顯示屏上立即跳出了提示：確定關閉嗎？看完完整廣告可贈送您一份餐廳優惠券哦！

我只好點擊"確定關閉"。

眼前終於清靜了。

我有些感慨，現在全世界好像都在引導你時刻待在虛擬世界中，即便身處物理世界，還是每時每刻都有可能被各種方式吸引到數字時空中。

老爸又發信息給我了，我給了他餐廳的地址，讓他自己來找我。

吃完飯後，我不得不在餐廳多休息了一會兒，我有些精神恍惚，這是"鏡像綜合症"的一種表現。我半夢半醒間聽到老爸的聲音，睜開眼時，他穿著一身整整齊齊的西裝已經坐在我身邊。說實話，現在已經沒有多少人會這樣做了，畢竟給現實世界的自己買件好衣服，還不如在虛擬世界裏給自己買幾套好裝備划算。

　　老爸一見到我就一頓數落。他總不滿我這種工作模式，説我懶散，一點都不自律。可這年代誰還去辦公室上班？現實世界博物館的那些文物，機器人都打理得井井有條，恆溫恆濕，24 小時不間斷修復。

　　線下見面就是有這麼一點不好，不能屏蔽聲音。我忍不了他的嘮叨，説今天會去博物館看看。

　　我問他另一個身份的事情，他卻好像不知道怎麼開口似的。

　　忘了説，現在大部分人在元宇宙裏都有多重身份，老爸也是看到我這麼玩後才讓我教他的。那會兒他感慨道，元宇宙可真是精神分裂者的天堂。

　　他説的沒錯，在虛擬世界，你既可以是 A，也可以是 B，還可以是 C。多重身份只要完成冷啟動，就會自行成長，只要連接這個身份，就能完成身份轉換。

　　我要了老爸的身份卡，他很不情願地給了我。我用 MR 工具掃描後，發現是身份卡代碼出了問題，我告訴他，把身份卡送去時間戳管理局修復一下就好了。

我看了老爸另一個身份的設定，明白了剛剛他為什麼忸怩了，原來他的另一個身份是個帥小夥，正在瘋狂地追求一個年輕女孩，恰好快要追到手時突然身份連不上了，才這麼著急。

　　我假裝要向老媽告狀，老爸卻表示老媽的另一個身份也在追求一個年輕小夥，憑什麼只許州官放火，不許百姓點燈？

2140 年 12 月 4 日 14 時 20 分

　　老爸離開後，餐廳裏的人少得可憐，我發現在角落裏坐著一個物理人。

　　在這個時代，相比於半數人和數字人，物理人的數量很少，他們的活動空間只有現實世界，執著於對物理世界的探索。不過我一直認為他們是值得尊敬的，只有極自律的人，才能忍受現實世界裏一望無際的孤獨。

我主動走過去和他打了招呼，發現他在搗鼓一套嶄新的 VR 設備。

"你要接入鏡像世界嗎？"我問。

他點頭，說今天是克萊因船抵達奧爾特星雲的直播日，飛船上的宇航員張思思是他的偶像，飛越柯伊伯帶後她就一直處於冬眠狀態，今天是她醒來的日子。

克萊因船是 2135 年發射的恆星級飛船，飛船上的每一位宇航員都是勇士，也是所有電台都在追捧的超級明星，物理人最大的愛好就是觀看飛船的直播，在他們看來，以原子態身體開著飛船去探索無邊宇宙，這才是人類最大的驕傲，那些躲進"鏡像世界"裏的數字人是永遠無法理解這種自豪的。

　　我明白了，他之所以要接入虛擬世界，是為了能通過 VR 設備連接到克萊因船，與他的偶像進行更近距離的接觸。再驕傲的人，最後還是得進入虛擬世界，我內心總算平衡了一點點。

　　我幫了他一把，順便自己也通過移動的脈衝終端連接到克萊因船。

直播很快開始了，每個人都可以體驗各種飛船視角，就像自己是飛船上的宇航員一樣，當你看到前面的星雲、隕石向自己撲來時，不得不讚歎數字世界的優秀；看著張思思向其他人微笑著揮手致意，我想那個物理人一定會非常激動，儘管他看到的是幾個小時之前的張思思。

　　不過很快屏幕上出現了網絡擁堵的提示，這與我接入的設備可能有關係，畢竟這不是專業的 VR 套裝設備，我退出了直播，回到了現實世界中。

　　外面街道傳來了歡呼聲，整個世界都在歡呼，我想應該是克萊因船成功到達了奧爾特星雲。

我離開了餐廳，沒有再打擾那個物理人。

我想起了今天是個颱風天，雖然早上使用"一鍵收衣"收了陽台上的衣服，但不確定會不會有什麼疏漏。

回到家中，我發現多數衣服已經由 AI 設備收好放在衣櫃中，但有一雙襪子掉在了陽台，已經全部淋濕了。看來現在的"混合"系統還沒有達到完美的地步，這雙襪子就是一種 Bug 存在的證明。

經歷了與那個物理人的相遇後，我突然覺得自己應該在現實世界中多走走。這次我沒有再進入虛擬空間，颱風已經停了，我決定走路前往博物館，這花費了我大概二十分鐘的時間。

這是我今年第二次來到我現實中的工作場所。我徑直走向文物存放區域，早上剛剛出土的文物現在就擺在我面前。

那幅《畫雲台山記 2》擺在最顯眼的位置，旁邊還配有一塊電子屏幕，上面滾動著畫的信息，與我認證的信息一致；信息中附有"NFT"的字樣，看來這幅真跡已經成功生成 NFT 虛擬資產了。

　　畫卷實體被冰涼堅硬的玻璃罩隔開，不能觸摸，只能遠遠看著。儘管一上午的工作已經讓我對畫卷非常熟悉，但此時在現實世界看到這些文物，我心裏湧起和在虛擬世界中完全不同的感受。

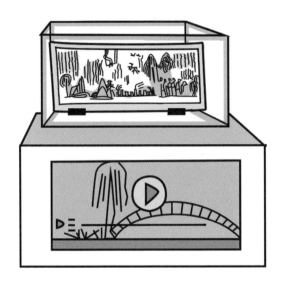

　　透過那些寫意的線條，我似乎能看到畫家運筆的姿態；濃淡相宜的墨色能夠讓人感受到筆的力道；還有泛黃的紙面和紙張毛糙的邊緣，好像把將幾千年的時間都清楚地記錄了下來。

　　現實世界與虛擬世界雖然能做到"鏡像"，但有些東西的呈現，確實是技術無法達到的。

2140 年 12 月 4 日 21 時 4 分

我在博物館逗留了很長時間，直到晚上九點多才回到家中。

走到窗邊，我抬頭看了看星空，自從成為"半數人"後，我就再也沒有抬頭看過現實世界裏的真實星空。

雖然它沒有鏡像世界裏的星空美，卻能帶來一絲久違的感動。

我敬佩那些物理人，他們忍受著孤獨和無趣，不斷尋找生命存在的深層意義。

我想到了今天看到的那些實體文物，想象著它們在物理世界中，從地下被挖掘出來的時候，該有多麼美麗。

那個物理人和他的偶像，儘管相隔幾十億公里，可他們的心是連在一起的。

虛擬世界無比便捷，你甚至可以在元宇宙中跟隨克萊因船去探索真實的太空，可總讓人覺得缺了一點什麼。

有一瞬間，我甚至萌生了當一個物理人的念頭，但我知道，這不可能，因為就像《黑客帝國》中的情節一樣，當你選擇過藍色藥丸，就很難再選擇紅色藥丸了。

11

忒休斯之人

忒休斯（Theseus）之船的問題最早由羅馬帝國時代的希臘作家普魯塔克提出。忒休斯之船是一艘被雅典人民保存了百年之久的英雄之船，這艘船之所以能完好保存，要歸功於不間斷地維修和替換部件。只要一塊木板腐爛了，它就會被替換掉，直到所有的功能部件都換了一遍後，引人深思的問題來了：現在這艘船，還是原來的那艘忒休斯之船嗎？如果不是原來的船，那麼在什麼時候它不再是原來的船了？

哲學家托馬斯·霍布斯（Thomas Hobbes）後來對此問題進行了延伸：如果用從忒休斯之船上取下的老部件重新建造一艘新的船，那麼兩艘船中哪艘才是真正的忒休斯之船？

以此類推，信息時代，我們還可以將忒休斯之船再進行延伸：現實世界是由原子組成的物質世界，而虛擬世界則是由比特組成的信息世界。如果人類在比特世界裏一步步創建元宇宙，用"比特世界"的虛擬空間去慢慢替換掉"原子世界"的現實空間，直到最後，人類可以從原子"蛻變"為比特，從物質轉換為意識，並且可以在兩個世界自由切換，那麼對"後人類"來說，虛擬世界和現實世界，哪個是"真實的世界"？

不斷延伸

　　人類的發展史就是一個實現身體和心靈對外延伸的歷史，從最初求生存而實現的身體延伸，到後來求發展而誕生的心靈延伸，再到今天，人們習慣藉用信息科技之便利來追求自己的"個性"，那是身心的共同延伸。

身體延伸

　　身體的延伸，最早可以追溯到史前時代。

　　當史前人類學會打造第一把石斧、投出長矛，以及通過"製造工具"的方式來適應這個世界時，這種延伸就已經開始了。

　　接著，之後的百萬年間，人類通過製造工具，不斷延伸自己的身體。

　　隨著"科技"的發展，人類身體的延伸也越來越廣泛，從殘障人士的義肢，到擴大人類能力範疇的機械臂；從矯正視力的鏡片，到代替雙腿出行的汽車，無一不是這種延伸的體現。

　　盲人在導盲棍和導盲犬的幫助下，可以在路上正常行走，導盲棍和導盲犬就是盲人身體感官的延伸。

　　失去腿的人在安裝假肢後，也可以在百米賽跑中跑出超越正常人的成績，假肢就是殘疾人身體的延伸。

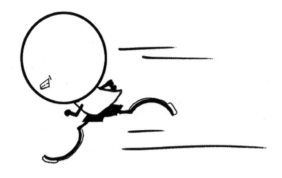

　　藉助天文望遠鏡和顯微鏡，我們可以看到更宏觀和更微觀的東西。天文望遠鏡和顯微鏡也屬於身體感官的延伸。

　　利用汽車，我們可以更快地到達更遙遠的地方，它不但可以擴展人的活動半徑，還能成為不少人的情感寄託，這同樣屬於身體延伸的一種。

　　從科學的角度來看，身體的延伸就是一種"力的升級"。

　　人類的歷史已有百萬年，然而在 99% 的時間裏，人類能夠掌握的力量只是雙手和肌肉的力量。隨著手持工具的發明，人類的能量輸出倍增。

　　後來，牛頓發現萬有引力和運動定律，讓力學被簡化成條理分明的方程組。現代機械原理催生出蒸汽機，人類掌握的能量達到之前的數十倍到數百倍。

　　麥克斯韋方程組及其啟迪的愛迪生等發明家，使人類進入電力時代，能量級數獲得飛躍，極大地改變了人們的生活方式。

　　愛因斯坦的質能方程為人類開啟了核能利用的時代，人類掌握的能量提升到足夠摧毀自己所居住的行星的程度。

身體的延伸

　　科技發展的過程也是人類適應和改造現實世界的過程，是人類在"原子世界"的一種自我創造。

✦ 心靈延伸

　　身體延伸之後，延伸的範圍便更進一步，人類開始擴展自己的心靈。

　　如果說身體上的延伸是在適應和改造現實世界，那麼心靈上的延伸，則更像是在慢慢創造我們自己的精神世界。

　　這種心靈上的延伸，最直接的體現就是互聯網和智能手機。

　　在互聯網出現後，我們可以把現實世界的許多東西，都鏡像到互聯網上，可以足不出戶而知曉整個世界的消息。

　　智能手機的出現，更是把這種心靈的延伸無限放大。

　　智能手機本質上也是一種工具，但它和我們製造的其他工具不同。儘管它並不在大腦裏，但它現在已經在不知不覺中變成我們大腦的一部分，執行了一系列本該是我們大腦該做的事情。

20 年前，很多人還能記住至少十幾個人的電話號碼，但現在恐怕沒有人專門去記另外一個人的電話號碼了。

過去，我們用大腦來安排日程，但現在"計劃"功能也被手機軟件取代。

以前，人們還會通過建築和地標來識路，但現在幾乎完全依賴導航系統。

除此之外，智能手機還會提供大數據分析與推送服務，這些分析與推送，或多或少會影響我們的決策，甚至會代替我們做出決策。

當手機成為我們大腦的一部分，它便成了一種非常明顯的心靈延伸。

如果讓一個現代人一天不玩手機，他一定會不知所措；如果把一個現代人的手機中的各個應用的數據全部刪除，把個人身份信息和銀行信息都銷毀，這簡直會摧毀一個人的正常生活。

從身體延伸走向心靈延伸，也代表我們正慢慢從"原子"滑向"比特"。藉助互聯網和區塊鏈，我們會慢慢創造出一個新世界。

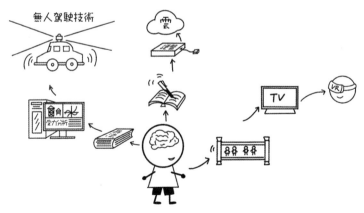

人類身體的延伸無處不在

◆ 身心延伸

　　然而，不管是身體延伸還是心靈延伸，現實已經證明，它們都是有邊際的。互聯網帶來的心靈延伸在一開始的確能給我們帶來極大的新鮮感和快感，但現在已經漸漸乏力，不再能滿足我們的需求。互聯網所帶來的心靈延伸逐漸遞減，所以人們渴求一種更極致的延伸產物，來突破這種延伸邊界。

　　身體上的延伸和心靈上的延伸與現實世界緊密相關，人類想要突破這種延伸的界限，就只能創造一個全新的世界。

　　所以，在人類物質文明和精神文明都高度發展的基礎上，在人類身體延伸和心靈延伸的雙重需求下，元宇宙自然會出現了。

我的世界
我做主！

　　如果說人類對工具的創造是身體的延伸，對虛擬內容的創造是心靈的延伸，那麼元宇宙就是身體延伸和心靈延伸的極致。我們不再是以其他延伸身體或心靈的東西為工具，人類一旦進入元宇宙的世界，就已經從身體延伸和心靈延伸階段，邁向了一個全新的自我創造的階段。

元宇宙之上，也是元宇宙嗎

我們談到了元宇宙是人類創造出的新世界，當我們從現實世界凝視元宇宙時，就免不了會思考：當下人類所生活的世界，有沒有可能是另一個世界創造的 "元宇宙" 呢？

美國哲學家希拉里·普特南（Hilary Putnam）曾在他的《理性，真理與歷史》（*Reason, Truth, and History*）一書中提出過 "缸中之腦"（Brain in a vat）的假想，即如果將切下來的大腦放在盛有維持腦存活營養液的缸中，將大腦的神經末梢與計算機相連接，計算機按照程序向大腦傳送信號，則可讓大腦保持完全正常的知覺。

人所體驗到的一切，其實都是大腦中轉化出的神經信號。如果使用計算機通過神經末梢向大腦傳送一模一樣的信號，並對大腦發出的信號作出一模一樣的反饋，那麼大腦其實無法區分這是真實的身體，還是人為構造的身體。

1977 年，美國科幻小說作家菲利普·蒂克（Philip Dick）曾在法國的一次科幻會議上宣稱我們生活在一個計算機模擬出的現實中。

一開始，大家都以為他在開玩笑，因為計算機模擬正是他的科幻作品的一個重要的主題，但他自己真的相信我們是生活在一個模擬世界中。

菲利普·蒂克是最早的以模擬為主題的科幻作家，他的科幻作品《仿生人會夢見電子羊嗎》後來被改編為電影《銀翼殺手》（Blade Runner）。為何他筆下的模擬場景能夠如此惟妙惟肖？因為那些不是源於他的想象，而是他的真實認知。

在電影《黑客帝國》中，尼奧看到一隻黑貓從一個門口走過去，當他回頭的時候，又看到一隻一模一樣的黑貓走過去，他覺得似曾相識。同行的崔妮蒂立即知道，一定是"某些變量被改變了"。出現這種現象的原因是特工史密斯在重寫虛擬世界時植入了一些信息，這些信息干擾了尼奧的感知，所以才會出現兩隻相同的黑貓，一隻走過去後，另一隻相同的黑貓又走過去。這個電影創意也是來自菲利普·蒂克。

　　2014 年，天體物理學家、諾貝爾獎獲得者，客串過《生活大爆炸》（The Big Bang Theory）的喬治・斯穆特（George Smoot）在 TED 演講中提到 "人是一個模擬，而物理學會證明它"。

　　斯穆特以高分辨率大腦掃描為例說明 2045 年人腦可以上傳到電腦網絡。

　　埃隆・馬斯克在 2016 年的一段訪談中也懷疑我們所在的世界是一個模擬世界，他表示現實世界基本上就是遊戲《模擬人生》（The Sims）的高端版本，這使得模擬理論成為一個流行詞。

　　如今，元宇宙掀起了業界新概念熱潮，這也使一部分人相信，我們很可能生活在一個模擬世界之中，它與現實無法區分。甚至，可能這個世界並不存在，只是模擬世界中的人並不會懷疑他們的世界是否真實。

　　如果一定要將元宇宙和 "現實模擬" 分離開來，那麼，元宇宙可能是一個模擬中的模擬。

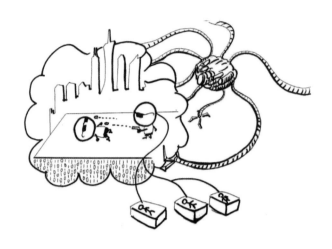

2003 年，哲學家尼克・博斯特羅姆（Nick Bostrom）發表了一篇關於模擬假説的論文，該論文包含 3 個主要的命題：

- 人類社會可能在到達 "後人類" 階段之前滅絕。
- 任何後人類文明均不可能對其進化史 (或變異) 進行模擬。
- 我們肯定是生活在一個計算機模擬世界中。

尼克宣稱，這三個命題必有一個是正確的。

他將意識或智能的基質無關作為論文的給定基礎，即使這個基礎並非完全沒有爭議。

圖靈曾在他的論文中

現實的帷幕後是什麼？

稱，圖靈機可以擬真任何其他圖靈機，即計算是基質無關的。

人工智能的神經網絡技術最初也是擬真，即用於擬真神經網絡的計算機軟件。擬真是為了替代其原始版本，而提供真實應用。相比之下，模擬只是一種為了分析而建立的模型。

例如，電網的控制中心可以通過外觀一模一樣的虛擬的電子仿真儀表盤來代替真實的機械儀表盤，遠程操作電網開關的閉合，這就是一種擬真。

虛擬 PC（個人計算機），即在服務器上模擬個人計算機，是擬真 PC。如果一個飛行模擬器可以將一個人從 A 地點運送到 B 地點，那麼它就是一個飛行擬真器。一個擬真器通常接近真實器械，而模擬器則未必。例如，地理模擬通常將 1000 年作為 1 秒，或者更快。

元宇宙就是一個現實擬真器。

人的能力是有限的，如記憶和空間想象力。但人通過抽象，去除次要因素而合併共同的東西，可以將客觀規律總結成幾條簡單的概念和公式。

抽象是隱藏層的能力，深度抽象需要進行幾種連續變換，每個變換都與大腦區域或大量神經元關聯。

但面對更為複雜的問題時，人會越來越難做出數量有限的選擇，為此，人類發明了計算工具，但仍然會遇到數據不夠或者過度擬合的問題，在這種情況下，人們依靠減少維數從中選擇重要的特徵構建模型，以提高模型的通用能力。

而神經網絡包含了更多的隱藏層，它不是靠減少維數提高泛化能力，而是保留更多參數，通過增加更多隱藏層來保留特徵和提高泛化能力。

現代科技使人類社會的複雜度不停擴張，一架飛機通常有數百萬乃至上千萬個零部件，由數十萬人研發而成。無論人的學習速度再增加多少倍，壽命增加多少倍，在這種無涯的複雜度面前，能力也仍然是有限的。

因此，未來的科技發展方向，是更充分利用模型的模擬能力和計算的優勢，而不是依靠生物個體的能力。

元宇宙就是滿足這種多元需求的一種新的科學進程。它通過模擬來擬真整個世界。

元宇宙之下，還有元宇宙嗎

有一種觀念認為，推動元宇宙誕生的，是人類對現狀的不滿。因為有不滿，所以才會產生改變的念頭和衝動。

如果接受這種說法，就不能忽視另外一點：人類的不滿足是沒有止境的，如果在元宇宙中，仍然會有對虛擬世界現狀不滿意的數字人，那麼那個世界的人是否也會拋開那時的元宇宙，去建立 2 號元宇宙？如此往復，不斷循環？

我們不能否認這一可能性的存在，且這也涉及另一個問題，即在一個模擬的世界裏，是否還可以再造一個模擬的世界？

答案當然是肯定的，並且現實世界裏已經有人這麼做過。

一位名叫 FOONE 的玩家曾在《我的世界》裏打造出了一台能夠運行《我的世界》的虛擬計算機！另一個名叫 Dylna 的玩家則更加誇張，他在 FOONE 的基礎上，又多創建了三層世界，也就是說他能夠在《我的世界》中的《我的世界》中的《我的世界》中的《我的世界》玩《我的世界》。

既然在我們所處的模擬世界中可以創造出另一個模擬的世界，那麼在元宇宙這樣一個模擬的世界裏，便同樣有可能繼續創造出新的元宇宙，即模擬世界中的模擬世界中的模擬世界。

　　從這個邏輯來看，元宇宙的疊加，可能也會和它的出現一樣，是無窮無盡的。只要人類的創世衝動沒有消失，那麼這樣無限的模擬世界就會一直被創造出來。

　　從這個問題出發，把關注點拉回現實世界，我們又發現了另一個更嚴峻的問題：我們所在的現實世界，會不會也是一個被創造出來的虛擬世界？

選擇比特
還是原子

　　元宇宙之上還有元宇宙，元宇宙之下還有元宇宙，我們的世界是否也是被創造出來的"虛擬世界"？這些都屬於哲學問題，可以慢慢思考。

　　但在當下，或者不久的將來，人類可能面臨一個抉擇：選擇虛擬世界還是現實世界？或者說是選擇比特還是原子？

元宇宙展現了一種全新的生活方式。

你可以完全沉浸其中，就像前面內容中提到的數字人，你可以像生活在真實的世界中一樣吃飯、睡覺、結婚、生子，但也一定會有拒絕這種生活方式的人，他們拒絕元宇宙，堅持生活在現實世界，他們就是"物理人"。

選擇"比特"，還是"原子"，很有可能是未來最大的意識形態爭論，甚至徹底分為兩個勢力，正如電影《黑客帝國》中，你無論是選擇"藍色藥丸"還是"紅色藥丸"，最後都將為之而戰鬥。

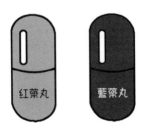

你的選擇？

當然，今天看來，元宇宙並不是一個"選擇原子"還是"選擇比特"的難題，我們只有先實現原子與比特共生，才有機會打開元宇宙的大門。說不定當那一天真正到來之時，我們會欣喜地發現，這個問題根本沒有想象的那麼極端。

我們在前面講到，元宇宙並不是完全的虛擬世界，而是一個虛擬世界和現實世界結合的願景。元宇宙和原宇宙最終會彼此融合，它們的邊界會慢慢消失，最終會變成像硬幣的兩面一樣的存在，相互依存。

更簡單來說，原子＋比特＝元宇宙。我們可以隨時在現實世界和虛擬世界中來回穿梭。

但未來難以預測，兩個世界的共存是否真的那麼美好，值得我們從現在開始思考。

接下來，讓我們來看一個"忒休斯之人"的故事。

誰才能
活下來

一個物理人從"冬眠"中甦醒過來，科學的發展讓他所患的絕症得以治癒。物理人獲得了新生，但同時也出現了麻煩，一個數字人帶著武器找到了他，數字人表示，自己是這個物理人的數字分身，自己在元宇宙中擁有唯一的 ID，這個世界上只能有一個"自己"。

這是一條基本定律，雖然人格可以有多個化身，但元宇宙中只能存在一個元宇宙 ID，否則系統會紊亂，於是，數字人想殺死這個物理人，因為他的復活就是系統的 Bug。但幸運的是，物理人躲過了這次攻擊。

物理人開始探尋事情的真相，原來這個數字人是自己的意識的複製，並且在元宇宙中自我成長。物理人身患絕症時他的親人除了讓他冷凍冬眠外，還通過掃描他所有的大腦信息，使其大腦信息數字化，並複製到元宇宙中，讓他用數字人的方式繼續 "活著"。

數字人在元宇宙中成長，成為一個全新的自己，所以，當得知物理人復活後，數字人無法忍受這個世界上還存在著另一個自己，因為物理人擁有元宇宙 ID 的一切權限，系統可能會清除掉數字人。

物理人對元宇宙是陌生的，處於非常不利的局面，他只能將這個案件報告給警察，再由法官來判定兩人誰應該存在於這個世界。

法官接到這個案件，意識到這是一個很大的難題，他陷入了一個 "忒休斯之船" 的混亂之中。這個案件究竟該如何判決？誰才是元宇宙的合法元 ID 呢？

當我們的基因被編輯和修復，身體的部件被替換更新，整個身體都被克隆，記憶和意識被轉移裝載，那最終的新載體是否還是自己？如果思想轉移後，兩個"自己"同時存在，那麼哪個才是真正的自己？如果記憶被全部移植，進入了新的載體，同時意識也在繼續成長，那這個被創造的自己的副本，也還是自己嗎？

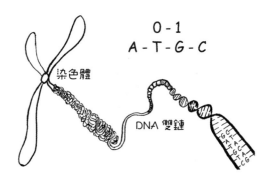

我們僅僅比人工智能多了兩個代碼而已

　　在走向元宇宙的過程中，這個"忒休斯之人"的問題很可能會成為現實，我們該如何證明哪一個我是真正的我？在真實與數字之間相互切換時，"忒休斯之人"又是從哪一刻開始出現的呢？當真實世界的物理人與虛擬世界的數字人相互碰撞時，我們又該如何去定義他們之間的不同？

　　"忒休斯之人"和"忒休斯之船"一樣，都屬於一種哲學思考，但它比"忒休斯之船"要更加複雜，因為"忒休斯之船"本身是工具，它沒有生命，而"忒休斯之人"是有生命的，這就涉及更複雜的社會學和倫理學問題。

　　如果你是法官，你會如何判定？

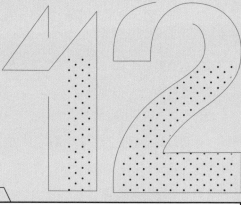

12

× − +

元宇宙的盡頭

元宇宙的盡頭是什麼？

元宇宙是一種元敘事。然而，大部分的元敘事，最終都沒有結局。

元宇宙的盡頭是未知的，它有多種可能，只有到終點時才能知曉最終答案。

我們對元宇宙的盡頭的可能性進行了一些猜測，對於我們的猜測，你可以選擇相信，也可以選擇不相信。但正如我們在本書開頭所說，每個人心中都有自己的元宇宙，那麼每個人心中，也自然有自己的元宇宙盡頭。

◆ 物理＋意識共同實現無限時空

第一種可能，即物理與意識相結合，元宇宙盡頭，是人類走向現實與虛擬雙重世界的無限時空，這也許是最好的結果。

劉慈欣曾說，人類面前有兩條路，一條向外，通向星辰大海；一條向內，通向虛擬現實。

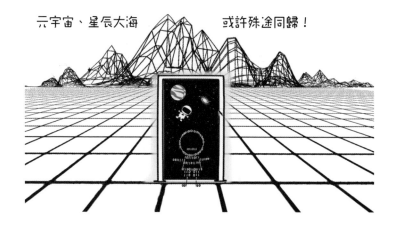

元宇宙、星辰大海　　　或許殊途同歸！

　　人類向深空的探索，是一種向外的擴張；不斷向元宇宙進發，則是一種向內的自我蜷縮。這是兩條完全不同的道路，分別代表物理和意識的終極目的。

　　不過，這兩條路不一定是非此即彼的。人類在不斷向內蜷縮的同時，也可以繼續向深空探索。

　　如果我們以現在的人類為代表，那這兩條路上的人分別是"走向太空的馬斯克"和"走向元宇宙的扎克伯格"。

　　在這一進程中，人類並沒有因為虛擬世界（元宇宙）的發展而徹底放棄現實世界，而是分化成了"數字人"和"星際人"兩個物種。這兩個物種並非相互割裂，而是相互依存。

　　元宇宙中的人類，會成為意識領域的霸主。在這個宇宙中，也許會有更多與"數字人"類似的意識生命存在。人類依託於元宇宙而存在，可以建立意識邊界，最終統治宇宙中存在的所有意識生命，並將這些意識生命納入元宇宙。

星際人則會不斷地向外擴張，在現實宇宙中進行星際殖民，在各個星球建立人類的根據地，逐漸發展自己的銀河帝國，使其他的外來文明和生命成為星際人類的一部分。

通過物理和意識的雙重擴張，人類最終成為原宇宙和元宇宙的高維生命。

而盡頭，可能就是跳出我們現有的宇宙，改變熵增命運，成為一個全新的生命物種，構建一個偉大的宇宙文明。

在這一可能性中，人類在現實宇宙和元宇宙中都實現了"無限時空"的終極夢想。

✦ 自我消解

第二種可能性，即元宇宙盡頭意味著終結。向元宇宙進發的過程，其實也是人類自我消解的過程。

元宇宙構建的過程，本質上是一個從原子走向比特的過程，人們對元宇宙的最終暢想，是意識上傳得以實現，人類全部實現永生。當所有人都接入元宇宙，現實世界的存在意義只是為元宇宙提供資料基礎。

正如我們在前面提到的"忒休斯之人"的哲學問題，如果人類真正步入元宇宙，所有人的意識都上傳到虛擬世界中，那麼人類還是人類嗎？

從這一角度看，人類走向元宇宙盡頭的過程，最終是改變人類進化史的一種自我消解過程。

在元宇宙中，每個人都將永生，都可以得到無限的資源。但因為現實世界的"消失"，永生帶來的無限生命會因為時間的拉長卻沒能匹配相應的內在意義，繼而轉變為無窮的孤獨，以及生存的無意義。

元宇宙看似構建了一個沒有時空限制的數字世界，但也在無形中讓每一個人成為元宇宙中的一座孤島。因為找不到心靈最終的歸屬，人類可能在自我消解中漸漸走向自我懷疑，最終在自我消解完成時，走向自我毀滅。

在這一可能性中，元宇宙的盡頭，是人類從自我消解走向孤獨後的自我滅亡。永生帶來生命永恆的同時，也將會帶來生命的終結。

到那時，元宇宙的盡頭，已看不到人類的存在。

在這一種可能性中，元宇宙的盡頭，不是美好天堂，而是無盡地獄。

✦ 海市蜃樓

如果我們所在的這個世界，是一個模擬的世界，那麼元宇宙的盡頭，就是這次模擬實驗的結束。人類不過是活在一個楚門的世界裏，元宇宙也不過是海市蜃樓。

在這一種可能性中，人類只是一種被利用的工具。

元宇宙的盡頭，是從夢中醒來，結束一切。

在《楚門的世界》（*The Truman Show*，港譯作《真人 Show》）這部電影中，男主角楚門一直生活在一座叫桃源島的小城，實際上這座小城是一個巨大的攝影棚。楚門看上去過著與常人無異的生活，但他不知道，每一秒鐘都有上千部攝像機在對著他，全世界都在注視著他，更不知道身邊包括妻子和朋友在內的所有人都是《楚門的世界》的演員。他所身處的世界是現實世界，但實際上這個現實世界只是一個被人為模擬出來的虛假世界。

《黑客帝國》探討的主題比《楚門的世界》更為激烈。人類生存在一個看似真實的現實世界中，但其實這個世界是由一個名為"矩陣"的人工智能系統控制的虛擬世界。真正的人類被浸泡在營養液中，連接上類似腦機接口的設備後，一邊在模擬世界中生存，另一邊為真正的現實世界提供能源。

《盜夢空間》（*Inception*，港譯作《潛行兇間》）中有一個又一個重疊的夢境，實際上這些夢境也是模擬出來的虛擬世界。夢境中的人都是夢主人的潛意識產物，沒有獨立意識，夢裏的世界也是一個虛假的世界。

量子力學中有許多人類無法用常識去理解的現象，它們是反因果律和反直覺的，科學家一直在探尋其中的真相，但直到現在依舊毫無頭緒。

如果我們所處的世界是一個模擬世界，那麼那些反直覺和反因果律的現象，就可以用計算機語言來解釋，這是不是進一步印證，我們所在的這個世界，是一個由代碼構成的虛擬世界？

如果我們認可模擬假說，如果我們認可我們所處的世界可能是一個被模擬出來的世界，那麼元宇宙的進化，就是模擬中的一次實驗。

人類活在一個"矩陣"之中，我們從原子走向比特，從比特走向元宇宙的盡頭，這個過程可能是一次預謀已久的表演，也可能是一次精心設計的實驗。元宇宙的盡頭，可能是演出的最後一幕，也可能是實驗的結束。我們身處模擬之中，人類不過是一種用來進行實驗或表演的工具。

元宇宙與人類前面經歷的進化一樣，只是實驗中的一環而已。

那麼，元宇宙的盡頭，就是人類從夢中醒來，最終會從生活的虛擬的數字世界中消失。

✦ 元宇宙新文明

第四種可能性，即元宇宙的盡頭是光明的數字文明。

元宇宙的盡頭將是一次進化的終點，進化、引導、覺醒、新文明，這些是第四種可能的關鍵詞。

從史前時代到原始時代，從原始時代到奴隸時代，從奴隸時代到封建時代，從封建時代到工業時代，從工業時代到智能時代，從智能時代到元宇宙，人類的文明史，就像一條不斷向前的進化鏈條，人類被 "基因"、"文化"、"科技" 三輛馬車推動，通過 "基因馴化"、"文化感染"、"科技控制" 的方式，完成一次次的文明升級。

我們至今都無法完全破解基因的秘密，但唯一能夠知道的一點是，基因可以馴化人。

例如，為何有的人愛吃米飯，有的人愛吃麵包？是因為有的古人類被水稻馴化，有的古人類被小麥馴化。人類以為自己馴化了植物，卻沒想過可能是植物馴化了人類。

人類的基因和很多動物的基因有著很高的相似度，但只有人類在漫長的進化史中完成了物種的進化。如果我們更激進一些，可以認為人類的基本進化可能是跟著一道已經寫好的基因程序進行的。

基因馴化，可能是人類慢慢變成"人"的一大原因所在。

基因馴化下的進化引導只是一種形體上的進化推動。文化感染則是一種心靈的進化推動。

文化就像無形的病毒，不斷侵入我們的大腦，讓我們自然地接受某一種理念。

在文化感染中，有一個詞可以很清晰地表現這一特點：模因。

模因，指在模因理論中文化傳遞的基本單位，在諸如語言、觀念、信仰、行為方式等在文明傳播過程中的地位，與基因在生物繁衍進化的過程中的地位類似。

在某種程度上，可以說人不過是大腦被感染的猿。

文化的模因（Meme，又譯作迷因）如基因一般，讓人類文明快速爆發，通過文化感染的方式，使人類從史前時代不斷走向智能時代，它是一股無形的力量，推動著人類心靈上的成長和進化。它像病毒一樣感染人，在漫長的歷史中，將我們改造成現在的模樣，但我們對這一切從未察覺。

元宇宙在某種程度上也是一種文化感染，它迫使我們相信，在元宇宙中會有更美好的未來。

相較基因馴化和文化感染，科技控制是完成文明進化、進行文明躍遷最重要的一步。

科技控制這一行為其實從人類製造工具的那一刻起，便深深烙在人類心裏。在最開始時，我們利用工具去和自然對抗，但隨著工具的進化，人類也一同進化。當科技出現時，人類對科技的依賴遠遠大於之前對工具的依賴。

科技控制使我們相信人類會朝著更美好、更便捷的生活前進，利用科技解放自己，科技控制下，走向元宇宙是一個必然結果，因為它代表的是更好、更便捷的生活。

站在巨人的肩膀上看世界。

如果我們把"基因馴化"、"文化感染"、"科技控制"連成一個整體，便可以發現，人類的進化史其實是可複製的，我們經歷過的進化過程，其他形態的"人類"也可能經歷過。

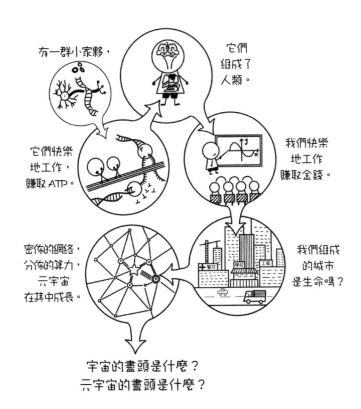

即便我們到了元宇宙的盡頭，我們或許也並不是第一代元宇宙人。很可能在很久以前，人類早已出現，並且經歷了與現在人類相同模式的文明進化。他們曾走過一遍文明進化之路，並且走到了元宇宙的盡頭，成為"全數人"，生活在"數字世界"中。

數字世界帶來了輝煌的後人類文明，但同樣使得整個文明異常脆弱。在某個歷史時期，因為外來文明的入侵或者機器文明的反抗，導致數字世界崩塌。全數人為了重建人類文明，只能選擇在地球播種生命，培育新一代的人類，並將其引導至元宇宙時代，完成文明重啟。而我們作為第二代元宇宙人類，會在第一代元宇宙人的無形引導中，走向元宇宙的盡頭，實現全數人文明的重生。

所以，元宇宙的盡頭，可能是一次人類的覺醒，亦是文明的自我救贖。

◆ 在元宇宙談什麼

當我們在談元宇宙時，我們談什麼？談虛擬世界，談未來文明，談意識永生，還是談人類敘事？也許這些都是答案，也可能都不是答案。

元宇宙，對於人類而言，究竟是一次文明的華麗轉身，還是從夢中醒來走向理想的對立面，使人類墮入無邊地獄？

在通往元宇宙盡頭的道路上，人類走的是一條自我覺醒之路，還是一條早已被人為設定好的路徑？

這些問題，現在都沒有答案。

就像在全球化提出時，沒有人能預想到它的發展如此曲折，現在元宇宙就像一個新生兒，我們還不能確定它最終會成長為什麼模樣。

肉身的我們，能在宇宙中前行多遠？
或許元宇宙對時間和空間能有更多的解讀。

　　每個人都有自己心目中元宇宙的模樣，每個人也都有自己心目中的元宇宙的結局。

　　它可能是人類的終極未來，每個人都有機會去影響這個全新的元敘事，每個人都有機會影響元宇宙的結局，因為在元宇宙裏，每個人都是創世的一分子。

參考文獻

[1] 尼爾・斯蒂芬森.雪崩［M］.郭澤，譯.四川：四川科學
     技術出版社，2009.

[2] Ray Kurzweil.奇點臨近［M］.李慶誠，董振華，田源，
     譯.北京：機械工業出版社，2011.

[3] 凱文・凱利.科技想要什麼［M］.熊祥，譯.北京：中信
     出版社，2011.

[4] 貝爾納・斯蒂格勒.技術與時間：愛比米修斯的過失［M］.
     裴程，譯.北京：譯林出版社，2000.

[5] 尤瓦爾・赫拉利.人類簡史：從動物到上帝［M］.林俊
     宏，譯.北京：中信出版社，2017.

[6] 邁克斯・泰格馬克.生命 3.0［M］.汪婕舒，譯.杭州：浙
     江教育出版社，2018.

[7] 傑弗里・韋斯特.規模：複雜世界的簡單法則［M］.張
     培，譯.北京：中信出版社，2018.

責任編輯	龍　田	
書籍設計	道　轍	
書籍排版	何秋雲	

書　名	元宇宙 —— 圖説元宇宙
作　者	子彌實驗室　2140
出　版	三聯書店（香港）有限公司
	香港北角英皇道 499 號北角工業大廈 20 樓
	Joint Publishing (H.K.) Co., Ltd.
	20/F., North Point Industrial Building,
	499 King's Road, North Point, Hong Kong
香港發行	香港聯合書刊物流有限公司
	香港新界荃灣德士古道 220-248 號 16 樓
印　刷	美雅印刷製本有限公司
	香港九龍觀塘榮業街 6 號 4 樓 A 室
版　次	2022 年 7 月香港第一版第一次印刷
規　格	32 開（130 mm × 190 mm）256 面
國際書號	ISBN 978-962-04-4962-8